Le vinaigre
de cidre artisanal
ma passion...
ses vertus...

COUVERTURE
Conception graphique: Stéphane Crépeau
Photographie: Michel Filion

MAQUETTE INTÉRIEURE
Conception graphique: Luc Gingras
Collaboration à l'écriture: Reine Lessard
Révision des textes: Jean-Pierre Paquin, Evelyne Tessier
Conseiller graphique: Jean-Marc Côté

IMPRESSION
Jean-Marc Côté, arts graphiques

ÉDITION
Manon Derocher Inc., C.P. 24001, CSP de la Pointe
Montréal (Québec) H1A 4Z2
courriel: manonder@total.net

Un merci chaleureux à tous ceux et celles qui ont contribué
à la production de cet ouvrage et spécialement à Angèle Leblanc
et Pierre Gingras qui ont si généreusement voulu partager leur savoir
sur la fabrication artisanale du vinaigre de cidre de pommes.

Dépôt légal, Bibliothèque Nationale du Québec, 4ᵉ trimestre 1999
Dépôt légal, Bibliothèque Nationale du Canada, 4ᵉ trimestre 1999
ISBN 2-9806476-0-8

...à mon fils Frédérick

Préface

Ceux qui rencontrent Manon Derocher pour la première fois remarquent rapidement son dynamisme, son regard décidé et son sourire communicatif. Ceux qui la connaissent bien savent combien elle est un rayon de soleil dans nos vies, savent combien elle sait communiquer la *vie*.

Ceux qui visitent la demeure de Manon pour la première fois remarquent rapidement les couleurs vives de son chez-soi. Encore une fois, nul n'est surpris de goûter la joie et la paix dans sa maison. Ceux qui la connaissent bien savent combien elle prend soin, dans sa cuisine, de ses germinations, de ses plantes et épices, afin de donner à son petit garçon une nourriture remplie de *vie*.

Ceux qui liront ce livre pour la première fois remarqueront rapidement le regard nouveau qu'elle apporte à la vision trop âgée que l'on a de la santé. Ils rencontreront une femme donnée à sa profession de naturopathe par l'enseignement d'une alimentation naturelle, oui, mais d'une alimentation *vivante*. Ils toucheront à des données et un langage nouveaux en en connaissant un peu plus sur un aliment dont, jusqu'ici, on ne pouvait soupçonner les propriétés bénéfiques. Elle a choisi de parler du vinaigre de cidre, car il est d'abord un aliment *vivant*, par le fait même un aliment riche pour la santé.

Ceux qui connaissent Manon savent qu'elle a mis tout son cœur dans cet outil de lecture. Ayant touché le public par la radio ou les conférences, Manon Derocher a toujours eu comme base d'enseignement les aliments *vivants*. Cette fois-ci, elle choisit le livre comme média de communication qui se veut un outil de référence.

Je sais, pour avoir vu ma sœur Manon cheminer sur la route de la naturopathie dès ses débuts, que de choisir d'écrire ce livre a été d'abord pour elle de choisir une expérience à *vivre*. Aujourd'hui, elle est au stade de la partager. Ce livre vous apprendra beaucoup sur le vinaigre de cidre, oui, mais il viendra vous aider à vivre un peu plus sainement votre *vie* !

Lorraine Derocher

CHAPITRE I

La pomme

Quel plaisir de cueillir un fruit et de le manger sur-le-champ !
Quel bonheur vous offrez à votre corps que de lui donner
une pomme fraîche ! De tous les temps, la pomme
a été considérée comme un fruit aux mille vertus et
l'homme s'en est servi de multiples façons.

Depuis l'Antiquité, voire depuis la création du monde, le pommier et son fruit sont associés à la Genèse et à la mythologie en plus d'inspirer moult légendes, contes et anecdotes.

N'y a-t-il pas eu *L'arbre de la connaissance du bien et du mal*? Même si la Bible ne l'identifie pas comme étant un pommier, il est généralement admis qu'il s'agissait de cet arbre et de son fruit, responsables de la chute du couple originel et de leur exclusion du paradis terrestre.

La mythologie grecque fait grand état du berger Pâris, qui fut choisi par les dieux comme juge dans la dispute qui opposait trois déesses, et qui offrit *la pomme d'or du jardin des Hespérides* à Aphrodite, contre la promesse qu'elle lui donnerait Hélène, la plus belle des femmes. L'enlèvement d'Hélène conduisit à la guerre de Troie.

Selon une légende suisse, un habile archer nommé Guillaume Tell aurait échappé à la mort en relevant le défi de transpercer de sa flèche *une pomme posée sur la tête de son fils !* Une histoire fantaisiste qui a fait partie de notre enfance est celle de Blanche-Neige et les sept nains, dans laquelle une méchante reine offre à notre héroïne une *pomme empoisonnée.*

Et que dire d'Isaac Newton, illustre mathématicien, physicien et astronome anglais? La légende veut que ce soit *la chute d'une pomme* qui lui aurait livré la clé de sa théorie de la gravitation. La liste serait longue de tous les récits les plus extravagants inspirés par la pomme. Mais soyons plus concrets et plus actuels.

L'intervention humaine, souhaitable?

Ronde, à pulpe blanche et ferme, juteuse, parfumée, acide ou sucrée, rouge, jaune ou verte, parfois multicolore, avec loges cartilagineuses contenant des pépins, la pomme est un fruit irrésistible. Juste d'entendre croquer dans une pomme vous met l'eau à la bouche.

Elle est le produit du pommier, appelé *Malus communis*, de la famille des rosacées et du genre Pyrus, comme le poirier, et dont les différentes variétés forment la tribu des pomacées. Il est d'origine eurasiatique et on le cultive depuis au moins 3 000 ans. Il fut introduit très tôt en Amérique.

Quelle est sa prétention d'appartenir aux rosacées? Tout d'abord, sa fleur a une certaine ressemblance avec la rose. De plus, si l'on observe le cœur de la pomme, on verra une étoile à cinq branches comme celle que l'on voit sur la rose.

Le pommier est un arbre de taille généralement moyenne, qu'on dirait avoir été tourmenté, tellement il est difforme, tellement ses lignes sont capricieuses. N'est-ce pas justement à cause de sa forme irrégulière qu'il exerce sur nos yeux ravis une telle fascination? Lorsque mes déplacements me portent dans une région pomicole, surtout à la floraison où l'air est embaumé des parfums printaniers, il me semble que rien n'est plus beau que ces vergers constellés, à perte de vue, de taches blanc-rose annonciatrices d'une récolte somptueuse.

Avez-vous le bonheur d'avoir un pommier dans votre jardin ? Ne manquez pas, au temps de la floraison, d'y dresser la table à déjeuner, juste sous l'arbre, et, à intervalles, vous verrez un ou des pétales danser devant vos yeux avant de se poser avec grâce dans votre assiette, sinon dans votre café.

Mais avant de parler floraison et récolte – il y a loin du bouton au fruit mûr – suivons les pommiers dans les nombreuses étapes de leur développement, car il est bon de rappeler que l'intervention humaine, dans la nature, n'est pas toujours dommageable. Ainsi, c'est grâce à la recherche et à la détermination de l'homme, à sa curiosité et à sa volonté de produire des fruits de plus en plus savoureux, que nous devons d'avoir domestiqué un arbre sauvage portant des fruits acides pour en arriver à des variétés innombrables de pommes, pour une diversité incroyable de saveurs capables de plaire au goût de chacun.

Il existe des pommiers sauvages, dont la taille est supérieure à celle du pommier cultivé. Ils donnent des fruits plus petits, plus durs et plus aigres aussi. Je sais qu'en certaines régions, on les cuit pour en faire des compotes.

Les pommiers qui nous intéressent pour leur usage dans le vinaigre de cidre, et dont je parle ici, sont multipliés au moyen du greffage. C'est une opération qui consiste à implanter, dans un sauvageon, un greffon d'une variété améliorée, de même nature ou d'une essence différente. Ce procédé assure pour des générations à venir des fruits de plus en plus savoureux.

Pour des résultats optimums, le sauvageon ou porte-greffe doit être vigoureux. Il y a des greffages en fente, en couronne et en écusson. Les greffages sont habituellement préparés en pépinières spécialisées.

11

Plusieurs autres facteurs concourent à la production d'un fruit excellent. Il y a la forme donnée aux arbres, leur élagage, l'émondage, et, bien entendu, la nature et la fertilité du sol.

On pourrait aller jusqu'à dire que les pomiculteurs actuels sont en mesure de créer leurs propres pommiers! Les pommiers nains ont une longévité de 20 ans, tandis que celle des semi-nains est de 30 ans, celle des semi-standard de 35 ans. Quant aux pommiers standard, ils vivent 50 ans et plus.

Le pommier est facilement adaptable, pouvant tolérer des températures aussi basses que -37,5 °C (-35,5° F). Par contre, il est extrêmement sensible aux brusques sauts de température, comme un gel suivi d'un dégel.

Durant la période hivernale, le pommier se repose, mais dès le printemps, la sève recommence à circuler dans ses branches et l'on assiste à l'éclatement, sur les rameaux producteurs, des bourgeons, appelés aussi yeux à bois qui ne donnent que des feuilles. Il faudra attendre toute une année, dans des conditions favorables, pour que les yeux à bois se transforment en boutons à fleurs. Et c'est au printemps qu'apparaîtront sur ces bourgeons, pour une courte période de 7 jours, des fleurs roses et blanches.

Un beau matin, des nuées de pétales volettent sous la brise, pour choir sur le sol qu'ils recouvrent tel un tapis. Les fleurs ont alors donné vie aux fruits avec leurs graines.

S'il profite de l'intervention humaine dans sa croissance et sa multiplication, le pommier a aussi besoin de l'apport du vent et des abeilles pour assurer la pollinisation. Il n'est pas rare aujourd'hui qu'au moment de la floraison, des arboriculteurs placent des ruches dans leurs vergers en production.

Une ressource à préserver

C'est aux éléments de la terre et de l'eau que la pomme doit sa chair croquante et subtilement acidulée. Elle est saturée d'eau

Vs la pomme sauvage } Vs pomme de terre

à 84 % de son poids, ce qui en fait un aliment tellement désaltérant et rafraîchissant. Elle contient 15 % d'hydrates de carbone – sucres assimilables par l'organisme – et seulement des traces de protéines et de matières grasses. Et elle compte, à des degrés différents, de nombreuses vitamines : A, B_1, B_2, B_5 – acide pantothénique – B_6, C, E, et quelques autres, mais en quantité minime.

La liste des richesses contenues dans une pomme est très longue. C'est à une association harmonieuse de trois acides naturels, l'acide malique, l'acide citrique et l'acide oxalique, qu'elle doit son parfum délicat. De plus, elle contient des minéraux nécessaires à l'organisme : une bonne dose de potassium (116 mg) et de phosphore (10 mg), du calcium, du magnésium, etc. En quantité infinitésimale, on y trouve aussi plusieurs oligo-éléments indispensables, comme le souffre, le cuivre, le manganèse, le chlore, le bore, le fer et le sodium. Elle renferme aussi des enzymes, des fibres et de la pectine, laquelle a la propriété d'absorber l'eau et de favoriser le passage des aliments à travers les voies digestives.

Selon la variété à laquelle elle appartient, la pomme contient, à des degrés variables, différents sucres : fructose, dextrose, saccharose. Pour toutes ces raisons et pour sa teneur réduite en calories (60 par 100 g), la pomme est un aliment hautement recommandé pour la santé. Sa richesse en minéraux et en vitamines active les métabolismes, protège la cellule nerveuse, préserve la peau, régénère les organes, décourage les infections.

Il est très intéressant de noter que la peau – épicarpe – de la pomme renferme de petites quantités de cire. Cette cire naturelle protège la pomme et fait partie de son processus de maturation. La nature est parfaite ! Quand on astique une pomme avec un chiffon, elle prend un bel aspect lustré. Il est déplorable que, pour donner meilleure apparence, plusieurs marchés à grande surface somment les responsables du comptoir d'enduire les pommes de cire. Procédé qui rend la pelure épaisse au toucher et qui présente certains dangers pour le consommateur, à moins de leur faire subir un lavage minutieux avant de les consommer. Et parlant de peau, il est bon de savoir qu'elle contient beaucoup d'éléments nutritifs. Toutefois, même s'il est recommandé de manger la pomme avec la pelure, il se trouve des cas où l'on conseille de la manger pelée et même cuite.

Une autre composante de la pomme qui se libère au cours de la maturation est l'éthylène, un gaz incolore aux effets physiologiques tellement puissants que, même en très faible concentration, il agit sur la maturation des pommes voisines.

Une fois les pommes à maturité, arrive la récolte qui, chez nous, se produit à partir de la fin de juillet pour les variétés hâtives et entre le 15 septembre et la mi-octobre pour les variétés tardives. Plusieurs conditions doivent être réunies afin de ne pas abîmer les nouvelles pousses avec leurs bourgeons et leurs feuilles, et pour obtenir les fruits à leur apogée. Il faut choisir un temps sec, autant que possible, et ne pas oublier que les pommes doivent être cueillies avec leur pédoncule, c'est-à-dire avec la queue, sans quoi le fruit se trouverait endommagé et vulnérable.

Il est nécessaire de les cueillir avec délicatesse. En plaçant l'index sur le pédoncule, on fait basculer doucement la pomme vers le haut.

Quant aux pommes d'hiver, il faut les récolter aussi tard que possible, pourvu, toutefois, que la température soit assez sèche, et avant les premiers gels.

Si des gelées nocturnes surviennent alors que les fruits sont encore sur l'arbre, le mieux est de les laisser dégeler progressivement. Il arrive fréquemment que ces pommes dégelées servent à faire du jus ou de la compote, de qualité moindre, il est vrai, mais tout de même acceptable. Toutefois, on ne pourra pas en faire des pommes séchées.

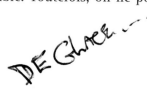

DE GLACE ....

Certains ouvrages mentionnent également que l'on fait du jus, de la compote et du vinaigre de cidre avec des pommes tombées. Pour la compote, je veux bien. Pour la consommation du jus et du vinaigre de cidre au sein de la famille du pomiculteur, c'est selon sa liberté. Toutefois, lorsqu'il s'agit de mettre sur le marché un jus et du vinaigre de cidre de qualité supérieure, il est essentiel que les pommes utilisées soient cueillies dans l'arbre, triées avec soin et exemptes de toute meurtrissure, première condition de succès.

Analyse

Vous trouverez, à la page suivante, les résultats d'une étude scientifique sur la composition d'une pomme typique. Cette étude se base sur l'analyse d'une pomme fraîche, d'une pomme séchée et du jus de pomme frais. Elle fait état de quantité de vitamines et de minéraux.

Et ce n'est pas tout. Dans les cendres, d'autres ont relevé de la soude, de la silice, de la chaux, de la magnésie, de l'oxyde ferrique, de l'alumine et de l'acide phosphorique. De plus, on trouve de l'acide gallotannique dans le cœur même de la pomme, près des petites loges abritant les pépins, ainsi que dans la peau, ou épicarpe.

La fructification

C'est une belle aventure que celle de la formation des fruits. Je me contenterai de n'en présenter qu'un aperçu, de nombreux ouvrages sur la pomme et d'autres fruits étant à la portée de tous les intéressés où qu'ils se trouvent. Je ne veux citer que *Pouvoirs merveilleux de LA POMME* par Eric Nigelle publié chez Éditions Andrillon.

D'abord, l'on assiste au développement de la pulpe par le stockage de l'eau de végétation. Lorsque la rétention de ce liquide

Composition chimique de la pomme

	Pomme fraîche (douce)	Pomme séchée	Jus de pomme (frais)
Eau .... g	84,0	20,4	86,9
Protéines .... g	0,3	3	0,1
Matières grasses .... g	0,6	0,7	traces
Glucides .... g	15,0	73,6	13
Fibres .... g	0,9	4,0	–
Calories .... g	58,0	281,0	47
Vitamines			
B_1 (thiamine) .... mg	0,04	0,05	0,01
B_2 (riboflamine) .... mg	0,02	0,08	0,02
B_6 .... mg	0,03	0,16	0,03
B_3 (niacine) .... mg	0,1	0,5	0,5
B_5 (acide pantothénique) ... mg	0,1	–	0,02
C .... mg	5	10	1
E .... mg	0,3	–	–
Autres vitamines .... mg	0,002	–	0,001
B_8 (biotine) .... mg	0,001	–	0,0005
Autres substances organiques			
Acide malique .... mg	270-1020	–	700
Acide citrique .... mg	0-30	–	230
Acide oxalique .... mg	1,5	–	0
Minéraux			
Sodium .... mg	1	5	2
Potassium .... mg	116	557	100
Calcium .... mg	7	31	6
Magnésium .... mg	5	29	–
Manganèse .... mg	0,07	–	–
Fer .... mg	0,3	1,6	0,6
Cuivre .... mg	0,08	–	0,35
Phosphore .... mg	10	52	9
Soufre .... mg	5	19	–
Chlore .... mg	4	19	–

Source: Documents Geigy, Tables scientifiques, 7ᵉ édition, Bâle 1968.
Les quantités sont données pour 100 g de quantité comestible.

devient massive, les cellules prolifèrent. C'est là que l'on voit apparaître la pomme, dont la robe prendra des teintes différentes selon la richesse du fruit en pigments caroténoïdes. Commence alors le lent procédé d'élaboration au cours duquel une biochimie active s'opère.

Autres phénomènes importants: la pectinisation et la vitaminisation du fruit avant d'arriver à sa complète maturité, l'étape ultime au cours de laquelle les pigments caroténoïdes prolifèrent et la vitamine C se développe en même temps que le fruit achève sa coloration.

Je me demande parfois comment il se fait que l'on soit si enclin à acheter toutes sortes de fruits exotiques, délicieux sans doute, mais qui, trop souvent, ont subi des arrosages non recommandables, qui ont été cueillis avant la maturité, qui ont passé beaucoup de temps dans des véhicules de transport, et qui nous arrivent presque vidés de leurs substances les plus nutritives quand ils ne sont pas carrément détériorés. La pomme ne présente pas ces inconvénients. C'est un fruit de notre terroir et, grâce à l'évolution qu'a connue la réfrigération, certaines variétés de pommes – et elles sont de plus en plus nombreuses – peuvent se conserver presque toute l'année sans perdre les éléments nutritifs qui en font un des fruits les plus précieux pour la santé.

Je suis convaincue que les femmes enceintes et celles qui allaitent devraient ajouter la pomme à leur diète parce qu'elle contribue à l'assimilation du calcium.

Lorsqu'on se sent l'estomac un peu brouillé, manger une pomme épluchée, que l'on a finement râpée et réchauffée à la température du corps, peut être un agréable remède.

Rares sont les aliments qui passent dans le sang aussi rapidement. Je veux insister ici sur l'apport incomparable de la pomme pour assurer le bon fonctionnement de l'intestin. C'est sa spécialité. Aussi paradoxalement que cela puisse paraître, elle peut être efficace pour traiter la constipation autant que la diarrhée, à cause de la pectine qu'elle contient.

La pectine est une substance mucilagineuse que l'on trouve dans plusieurs végétaux, que l'on emploie en pharmacie et dans l'industrie alimentaire pour épaissir et émulsionner, par exemple, les confitures. Comme une éponge, elle absorbe l'eau et les substances toxiques présentes dans l'intestin dans les cas de diarrhée. Au passage, elle élimine les dépôts de mauvais cholestérol. Cet effet est connu depuis toujours. J'irais jusqu'à affirmer que 15 g de pectine par jour, soit l'équivalent de deux pommes moyennes, suffisent à obtenir de bons résultats en ce qui a trait à la baisse du cholestérol.

Commencer son repas en mastiquant une pomme est une bonne habitude à prendre. Comme tous les fruits contiennent du sucre, on devrait la manger avant le repas, ou à jeun depuis au moins quatre heures, ce qui évitera une fermentation non désirée dans l'intestin.

À l'occasion d'un congrès tenu en 1970 à Saint Louis, Missouri, le Professeur Amel Kejs, de Minneapolis, a conseillé aux cardiologues américains d'inclure des pommes dans la diète des patients souffrant d'un taux de cholestérol trop élevé.

Puisqu'il est question, ici, de cœur et de cholestérol, il faut tenir compte des effets salutaires de la pomme pour lutter contre l'infarctus, l'artériosclérose, l'hypertension.

Un facteur non négligeable : le potassium qu'elle contient, élément indispensable à nos muscles, tout comme le calcium à nos os. Or, le cœur n'est-il pas un muscle ? Le potassium contenu dans la pomme contribue à nourrir ce muscle et, par la pectine, à nettoyer les artères.

Dans un excellent livre intitulé *L'excès de cholestérol et ses dangers*, Luc Dressant classe la pomme parmi les fruits pouvant lutter contre l'hypercholestérolie. De plus, les vitamines C et D qu'elle contient agissent sur les capillaires.

Certaines personnes qui souffrent de pyrosis – sensation de brûlure allant de l'épigastre jusqu'à la gorge, accompagnée de renvois acides – attribuent cet inconvénient gastrique à la pomme. Prendre l'effet pour la cause serait une méprise. Il vaut mieux chercher une façon d'absorber des pommes en diminuant les risques de pyrosis qui, soit dit en passant, est plutôt un malaise qu'une maladie.

Il ne faut surtout pas se priver de pommes pour cela, bien au contraire, la pomme étant, comme je l'ai exposé ci-dessus, bénéfique pour l'intestin puisqu'elle en est un des plus grands désinfectants – antiseptiques. On n'a qu'à les manger cuites au four, par exemple. En éliminant certains acides, cette cuisson toute simple constitue une prédigestion.

L'évolution de la médecine a atteint des hauteurs fantastiques et les chercheurs font état de nombreuses découvertes stupéfiantes, comme en ce qui a trait à certains aliments dans le traitement d'affections bien précises.

Dans le cas de l'entérite, les effets thérapeutiques de la pomme ont été prouvés hors de tout doute. J'aimerais citer le Professeur Léon Binet, partisan très convaincu, ainsi qu'un médecin allemand nommé Heisler qui a été un des premiers à traiter ses patients atteints d'entérite par une cure de pommes. Son exemple a été suivi par de nombreuses cliniques et hôpitaux.

Je vais résister à la tentation de donner des recettes à ce point-ci de mon exposé parce qu'il s'agit d'une cure. Je conseille plutôt aux intéressés de consulter un médecin ou un naturopathe.

Pour traiter les personnes souffrant de la colibacillose, la pomme s'avère une fois de plus un agent fort efficace. Il s'agit d'une infection causée par le colibacille, une bactérie très répandue dans la nature et qui, malgré qu'elle puisse être utile parce qu'elle fait partie de la flore intestinale, peut parfois être la cause d'infections urinaires ou intestinales. En résumé, si la muqueuse intestinale est saine, elle fait un barrage aux colibacilles pathogènes et aux toxines. Mais si l'intestin a été agressé par des laxatifs ou des purgatifs, ou s'il a été irrité par des erreurs alimentaires ou des empoisonnements, la muqueuse laissera entrer les colibacilles, les toxines. La pomme est un excellent moyen de laisser à la porte ces visiteurs indésirables et, par conséquent, de contrer la colibacillose.

Ne jamais oublier qu'il est très important d'avoir les conseils d'un thérapeute dans des cas précis.

Comme il a été mentionné précédemment – on ne peut trop insister – la pomme est tout autant recommandée pour lutter contre la diarrhée que contre la constipation puisque c'est le fruit qui normalise les fonctions intestinales. En fait, la fibre réveille le péristaltisme de l'intestin.

Être en santé, c'est avant tout avoir des intestins en santé. Il est certain qu'une bonne évacuation des déchets alimentaires est un excellent préventif contre les maladies. À cause des vitamines, des minéraux, et des fibres contenus dans la pomme et si salutaires à l'intestin, manger deux pommes par jour constitue une excellente habitude alimentaire.

L'arthrite

Ah! Ces maladies mystérieuses et douloureuses à la fois, qui rendent la vie misérable aux personnes qui en sont atteintes, et qui affectent aussi leur entourage: je veux parler de l'arthrite et de ses nombreuses manifestations, parmi lesquelles on peut nommer le rhumatisme chronique, l'artériosclérose, la goutte, l'arthrose, etc. Qu'y a-t-il, dans la médecine traditionnelle, pour ces patients, à part les anti-inflammatoires et les calmants? Quand on sait à quel point la pomme pourrait les aider, particulièrement la *Délicieuse jaune*, variété de pommes moins acide! En plus de les aider, en autant que le traitement soit durable, la pomme protège le moteur humain, l'aide à contrôler son potentiel énergétique.

– *J'ai la batterie à terre!* vous diront souvent les arthritiques si vous vous informez de leur santé. Eh! bien, justement, la pomme peut améliorer leur état puisqu'elle est si facilement assimilable et si pleine de ressources.

Chez certains arthritiques, le test du pH démontre un déséquilibre qui entraîne la précipitation du calcium qui, alors, se dépose dans les parois des artères et dans les tissus des articulations, causant des douleurs. Or, un des rôles importants de la pomme est de permettre une meilleure assimilation du calcium, et ainsi d'empêcher les dépôts calcaires tellement nocifs. Si on a la bonne idée d'ajouter du vinaigre de cidre à sa diète, on met plus de chances de son côté. Voir le chapitre intitulé *Un espoir pour l'arthrite*.

Pour la même raison que la pomme est un excellent antiseptique des intestins, elle est aussi un protecteur et un tonifiant des voies respiratoires.

Lors de petites poussées de fièvre, de bronchites grippales, généralement accompagnées d'une perte d'appétit, une petite cure de pommes râpées serait très utile. On pourrait y ajouter un peu de miel et, pour calmer la soif, un jus de pomme avec un petit peu de vinaigre de cidre de pommes... c'est tout simplement merveilleux.

Une autre vertu de la pomme : elle favorise le sommeil. Je conseille aux insomniaques de manger une pomme quatre heures après le repas du soir.

La pomme est très bénéfique en monodiète – c'est une diète au cours de laquelle on ne mange qu'une sorte d'aliment dans une journée – je conseille fortement la pomme râpée. Si vous faites partie des gens qui préfèrent l'éplucher et l'écœurer, il ne vous restera plus d'efforts à faire pour la digérer. Quel congé pour le système digestif ! Ça repose, ça ré-énergise et ça procure un bien-être mental parce qu'on se rend compte qu'on fait du bien à son corps.

Il est possible qu'il y ait certaines réactions. Dans ce cas, il faut adapter la durée de la diète à son corps, soit une journée ou trois jours, mais trois jours s'avèrent suffisants. Une recommandation : toujours chercher conseil auprès d'un thérapeute.

On ne peut taire l'efficacité de la pomme dans les soins dentaires. Croquer dans une pomme et bien la mastiquer agit comme un massage des gencives et le jus contenu dans le fruit concourt à diminuer la plaque dentaire.

Il existe une catégorie de personnes bien à plaindre, à mon avis, et ce sont les fumeurs et les fumeuses qui veulent cesser de fumer. Arrêter de fumer, c'est tout un défi ! Or, une cure de pommes peut donner des résultats inespérés. Parce que, nous l'avons vu dans ce qui précède, la pomme aide à l'élimination, elle nettoie l'intestin et le décroûte des couches de nicotine. Au bout de quelques jours, le fumeur en traitement ressent une espèce de haut-le-cœur devant le tabac.

La pomme a d'autres propriétés ! De ses pelures, par exemple, on peut extraire une tisane pour lutter contre les calculs rénaux, contre la précipitation du calcium et contre l'accumulation excessive et, partant, malsaine, de dépôts calcaires.

Enfin la pomme est à l'origine d'un merveilleux produit, le vinaigre de cidre de pommes de fabrication artisanale. Dans les chapitres qui suivent, je vous invite à découvrir ses vertus, son originalité et tout ce qui en a fait ma passion.

CHAPITRE II

La petite histoire du vinaigre

Il faudrait plusieurs chapitres comme celui-ci
pour relater toute l'histoire du vinaigre.
Voici quelques moments fascinants de cette histoire
qui témoignent de sa présence constante
dans la vie quotidienne de toutes les sociétés.

Au préalable, disséquons le mot lui-même et voici ce que nous trouvons : *vin aigre*. C'est ce que c'est au départ : du vin qui a aigri, que ce soit spontanément ou artificiellement.

Lorsqu'on parle de vin aujourd'hui, on pense au jus de raisin fermenté. Il n'est pas sûr qu'à d'autres époques, on ait toujours fait cette distinction sémantique. En fait, tous les jus contenant du sucre peuvent, en quelques jours, fermenter et produire de l'alcool, qu'on pourrait très bien appeler vin sans faire d'erreur.

Affirmer lequel des éléments, raisin, pomme, miel ou autre, fut le premier utilisé pour en tirer un jus ou tout autre liquide, c'est, à mon avis, impossible, et bien futé celui ou celle qui pourrait affirmer qui fut le premier homme à s'apercevoir que, dans certaines conditions, ce jus ou autre liquide se transformaient en alcool.

Tellement spontanée est la réaction qui produit autant le vin que le vinaigre, qu'on peut croire, sans risque de se tromper, que les deux liquides ont été découverts presque simultanément, non pas une fois, mais des milliers de fois, non pas dans un endroit, mais dans des milliers d'endroits, et toujours par hasard.

En fait, leur découverte était incontournable. Il ne fallait au jus de fruits – mis en contact avec l'air et une certaine chaleur, car toutes les réactions chimiques, surtout biochimiques, sont plus rapides en présence d'un certain degré de chaleur – que quelques jours pour devenir du vin, et quelques jours de plus pour devenir du vinaigre.

Le vinaigre, c'est, somme toute, l'aboutissement d'un processus naturel : le sucre qui se trouve dans le fruit se transforme en alcool par l'effet d'une première fermentation ; puis une deuxième fermentation produit de l'acide acétique et résulte en un vinaigre, c'est-à-dire du vinaigre. Étant donné que tous les produits fermentés dérivés des différents jus ne sont pas pareils, on peut conclure que les vinaigres ne sont pas non plus pareils.

Selon la sémantique moderne, le mot *vinaigre* englobe donc tous les liquides alcoolisés et fermentés, non seulement le vin, mais aussi d'autres boissons : la bière, le cidre, l'hydromel pour n'en nommer que quelques-unes.

Un peu d'histoire

J'aimerais faire ici une courte incursion dans l'histoire orale et la mythologie, toutes deux fascinantes.

Depuis son premier souffle, l'*homo sapiens* s'est interrogé sur les phénomènes de la nature comme la foudre, les volcans, les tornades, les simouns, les inondations, les sécheresses, bref, il a connu la peur, voire l'épouvante, et réalisé son impuissance à lutter contre de tels fléaux. Pour trouver une certaine assurance, s'accrocher à un certain espoir, il s'est inventé, à partir des astres, parfois des animaux ou des objets, des dieux qu'il faisait intervenir dans ses difficultés ou dans les désastres naturels. Que de prières, d'incantations, de sacrifices offerts à ces dieux païens, que l'on rendait responsables autant du bien que du mal qui frappaient les terriens ! Que de héros légendaires leur furent associés ! C'est ainsi, d'ailleurs, que, bien avant l'histoire écrite, la *légende*, ou tradition orale, est née : une histoire remplie de symboles, transmise de génération en génération.

Ainsi, selon la tradition orale égyptienne, le premier producteur de vin aurait été Osiris, dieu des forces végétales, adoré par les anciens Égyptiens et dont le culte s'est répandu en Grèce et dans l'Empire romain. Ne voulant pas être en reste, les Grecs s'approprièrent le titre pour l'octroyer à leur dieu de la vigne et du vin, Dionysos, ou *Bakkhos*, que les Romains ont latinisé en *Bacchus* lorsqu'ils décidèrent de l'adopter à leur tour. C'est dire assez le caractère archaïque de cette boisson à la saveur et aux propriétés étonnantes.

Considérant toutefois que les dieux ne sont pas venus avant l'homme, mais le contraire, je voudrais entreprendre un petit voyage à rebours plus loin que la mythologie, un périple qui nous mènerait aux hominidés de l'époque paléolithique, nos ancêtres, primates comme nous. Pour commencer, éliminons l'idée populaire et fausse que les gens se font souvent de la théorie de l'évolution, à savoir que nous descendons du singe. Or, les singes sont nos cousins et non pas nos ancêtres. À un certain moment de l'évolution, les primates se sont séparés en deux branches. D'un côté les singes, qui ont évolué différemment, et de l'autre, l'homme, l'*homo sapiens* notre ancêtre. Or, comment vivait-il cet *homo sapiens* ? Possédait-il les aptitudes et les matériaux indispensables à la fabrication de produits alimentaires comme le vin et le vinaigre, ceux qui nous intéressent a priori ?

Par les restes fossilisés, parfois même des fossiles complets, par les outils, faits de pierre ou d'autres matériaux, et par de nombreuses gravures trouvés par les archéologues, il nous est possible aujourd'hui de savoir comment nos ancêtres vivaient, comment ils chassaient, comment ils cuisinaient. On peut présumer, sans risque de se tromper, que même nos ancêtres de l'époque paléolithique connaissaient déjà l'art de transformer les aliments bruts. Il n'est pas ridicule non plus de croire que, des fruits à leur portée, ils savaient extraire du jus et qu'ayant observé des essaims d'abeilles et les ayant suivies jusque dans leur ruche, ils surent comment prélever leur miel.

Il fallut peu de choses en fait et, soit dit entre nous, il eût été bien difficile de passer à côté d'un phénomène aussi important : du jus s'alcoolise pour donner ce qu'on appelle du vin ; oublié dans un contenant ouvert, cet alcool subit une deuxième fermentation... et voilà ! Nous avons du vinaigre.

Ayant découvert un liquide délicieux qui se transformait en un autre liquide délicieux et différent, l'homme n'a pas mis longtemps à se demander comment il pouvait aider la nature en faisant encore mieux ! C'est cette étape où l'homme a décidé de produire du vin qui marque la naissance de la viticulture. Et s'en est suivie la fabrication artisanale du vinaigre. Les deux ont suivi de près l'invention de la première *bouteille*, probablement une gourde qu'on avait préalablement vidée et séchée.

Je crois que nous sommes obligés de nous incliner devant le génie de l'homme de cette époque millénaire, que nous avons trop tendance à sous-estimer. Car le premier témoin de ce phénomène ne s'est pas contenté de sa découverte. Une fois la surprise passée, il procéda à quelques exercices, à des tests, accompagnés de réflexions. Ce liquide acidulé, à quoi pourrait-il bien servir ? La précieuse information circula de-ci de-là, et l'on s'aperçut très vite que ce liquide possédait des qualités incroyablement utiles. Il s'avérait un agent de conservation pour les denrées alimentaires et un désinfectant efficace pour les plaies.

Sans doute était-il plus gourmand que ses congénères, celui qui osa l'utiliser le premier en cuisine ?

Une petite expérience

En utilisant un jus parfaitement naturel, nous pouvons tous tenter l'expérience. Versons ce jus naturel dans un pot sans couvercle que nous laisserons sur le comptoir quelques jours, et nous serons saisis par le parfum qui s'en dégagera. Curieux, nous voudrons y goûter et nous serons tout étonnés de réaliser que notre jus s'est alcoolisé, puis, par la suite, que l'alcool, sous l'effet d'un bacille minuscule, s'est volatilisé pour se transformer en vinaigre.

Il serait intéressant de nous rappeler que, si nous vivons à une époque où les dangers et les abus de l'alcool sont soulignés, ce ne fut pas toujours le cas. Il y eut une époque quand l'alcool était au contraire glorifié. D'ailleurs, le lien entre l'alcool et les religions est bien connu puisque l'alcool était utilisé dans les rites religieux. Il en reste un petit quelque chose emprunté des religions païennes d'avant J.-C. et qui se perpétue dans la religion catholique. En effet, dans la messe, c'est le vin qui symbolise le sang du Christ.

CHAPITRE III

Les différents vinaigres

> Nous savons tous que nous pouvons
> faire le tour du monde dans notre assiette.
> Aussi, je vous invite à prendre avec moi
> la route des vinaigres.

Le vinaigre est un liquide aigre contenant de 4 à 12 % d'acide acétique ainsi que d'autres substances. C'est l'un des plus anciens produits fermentés. Sa saveur dépend, en grande partie, des acides organiques et des esters procédant des substances utilisées à la base.

Malgré son appellation, ce serait une grossière erreur que d'affirmer que le vinaigre, contraction des mots *vin* et *aigre*, est obligatoirement issu du vin. Par extension, cette appellation a été donnée à tous les liquides alcoolisés ayant subi une fermentation acétique. Conséquemment, comme il y a plusieurs matières productrices de vinaigre qui ont différents esters et différentes saveurs – des céréales : orge, riz, etc., des fruits : raisins, pommes, – sans oublier la bière, le miel et les sirops de fruits ; comme, en plus, il existe plusieurs méthodes de culture de ces produits de base et plusieurs procédés de fabrication, on se retrouve devant de multiples variétés de vinaigres.

Tous sont intéressants pour des raisons différentes.

En gastronomie, le vinaigre est utilisé pour parfumer certains plats comme les sauces, les ragoûts, les poissons, les viandes et les salades. On s'en sert aussi pour la conservation de certaines viandes, de poissons, de fruits et de légumes.

Combiné en faibles proportions aux articles de nettoyage ou aux produits de soins de la peau, il en augmente l'efficacité.

De plus, avec l'usage, et depuis très longtemps (on dit en effet qu'Hippocrate en aurait prescrit à ses patients), il a été reconnu pour ses vertus thérapeutiques.

Pour peu que des substances contiennent du sucre, elles sont susceptibles, dans certaines conditions, de s'alcooliser, puis de fermenter. Ainsi, tout jus de fruit ou autre liquide contenant du sucre, lorsqu'associés avec une levure appropriée, se transforment en alcool et en bioxyde de carbone. L'alcool ainsi obtenu, mis en contact avec l'oxygène par l'action de certaines bactéries, forme de l'acide acétique et de l'eau.

C'est Louis Pasteur, l'illustre physicien français à qui la médecine est redevable de plusieurs découvertes, dont, entre autres, la pasteurisation, qui fut le premier à démontrer que ce sont ces microcréatures qui transforment l'alcool en acide acétique. Celles-ci se forment en une masse gélatineuse. C'est la *mère vinaigre*, très présente et visible dans une bouteille de vinaigre produit de façon artisanale.

Malheureusement, les vinaigres industriels passent, sans le voir, à côté de ce merveilleux trésor!

Nomenclature

En parcourant le petit catalogue des différents vinaigres que j'ai préparé à titre d'information, il ne faudrait pas conclure que je les recommande pour des fins thérapeutiques, sauf, peut-être, le vinaigre de riz, à condition qu'il soit fait selon la tradition chinoise.

Il est important de lire attentivement la liste d'ingrédients et toutes les informations inscrites sur les bouteilles, sans jamais perdre de vue que, souvent, des vinaigres proviennent de produits qui ont été ratés au départ, comme un cidre de pommes qui aurait été manqué, pour citer un cas. Il y a beaucoup d'autres exemples.

VINAIGRE BALSAMIQUE TRADITIONNEL DE MODÈNE

Balsamique vient de baume. Pour obtenir ce précieux liquide, il faut se soumettre à une tradition plusieurs fois centenaire. Chaque famille de fabricants détient ses propres coutumes.

La fabrication de ce vinaigre est très complexe, ce qui peut expliquer, en partie, son coût élevé. Plusieurs conditions y sont nécessaires. Avant tout, le raisin doit être un *blanc sucré* dit *de colline*, l'ugni blanc Trebbiano, que l'on trouve dans la région de Modène, dans le nord de l'Italie. Puis, les vendanges doivent être tardives, pour laisser au raisin le temps de se gaver des derniers rayons du soleil automnal. Enfin, il y a le foulage et la préparation du moût selon la tradition. Dès les premiers signes de fermentation du moût, on le fait chauffer et réduire des trois quarts environ, afin d'en concentrer le goût et les parfums.

Le liquide obtenu, ambré et sirupeux, est transféré dans des foudres de chêne jusqu'à sa transformation en vinaigre. Une fois le vinaigre obtenu, il sera vieilli dans des foudres de bois différents : châtaignier, cerisier, mûrier ou autres, passant d'un tonneau à l'autre plus petit, jusqu'à son embouteillage.

Comme la plupart des vinaigres, le vinaigre balsamique, rond, sucré et parfumé, qui résiste bien au temps, rehausse les salades, les marinades et les vinaigrettes. Mais on peut aussi le servir comme apéritif, *à l'italienne*, avec des glaçons.

Quelques gouttes ajouteront du cachet aux sauces.

VINAIGRE DE RIZ

C'est une création asiatique à partir de vin aigre de riz fermenté. Un peu amer, il peut être aromatisé, parfumé au gingembre, au piment ou au sésame. Question de culture, les Chinois le préfèrent aigre piquant, alors que les Japonais l'aiment doux et moelleux.

Il est fameux pour les marinades et toutes les sauces aigres-douces. Comme d'autres vinaigres, il ouvre l'appétit et aide à la digestion. C'est aussi un vinaigre thérapeutique, s'il est fabriqué de façon artisanale selon la tradition chinoise.

VINAIGRE DE MALT

Malgré sa saveur douce et délicieuse, ce vinaigre, fabriqué à partir de jus d'orge germée, ne jouit pas d'une grande popularité et c'est dommage, car il apporte quelque chose d'inédit à certains plats, aux marinades et aux conserves. Il est incolore, mais certains lui ajoutent un peu de caramel pour le parfumer, ce qui lui confère une teinte ambrée. Il se forme, au fond des bouteilles, un dépôt de mère vinaigre qui est comestible.

VINAIGRE DE VIN

Il existe de nombreuses variétés de vinaigre de vin. Comme on peut s'y attendre, il ne peut être meilleur que le vin utilisé pour sa fabrication. La liste d'ingrédients sur la bouteille est d'un grand secours si l'on ne veut pas être déçu.

Ce vinaigre, qui se conserve très longtemps, possède des vertus gustatives nombreuses et relève délicieusement salades, vinaigrettes, marinades, sauces, potages, bref, tous vos plats.

VINAIGRE DE XÉRÈS

Élaboré à partir de xérès – espèce de sherry ainsi nommé d'après une ville de l'Andalousie, en Espagne – ce vinaigre est costaud et apprécié dans la cuisine. Il est excellent pour mariner viandes ou volailles, ou encore pour déglacer les viandes grillées.

Il se conserve longtemps, mais le laisser vieillir est tout à fait inutile étant donné qu'il ne se bonifie pas avec le temps.

VINAIGRE D'ALCOOL

Il est connu sous le nom de *vinaigre distillé* ou *vinaigre blanc*. C'est le moins cher, le plus polyvalent et le plus souvent utilisé.

On le fabrique à partir de l'alcool de la betterave à sucre. On peut aussi le fabriquer à partir d'alcool à 96 %, coupé d'eau et enrichi d'un zeste de levure de bière (diluée dans de l'eau).

Il ne change pas le goût, ni l'esthétique des aliments auxquels il apporte une saveur acidulée modérée.

VINAIGRE DE BIÈRE

Dérivé du malt qui provient de l'orge germée, le vinaigre de bière est le favori en Grande-Bretagne. D'abord, la céréale doit être torréfiée, moulue et diluée dans de l'eau chaude. La fermentation de ce liquide donne une ale (bière blonde). Enfin, l'acétification produit un vinaigre très particulier. Il paraît que c'est ce vinaigre qui a popularisé le poisson-frites (*fish and chips*).

VINAIGRE DE SUCRE

Dans le sud de la Louisiane, aux États-Unis, on fabrique du vinaigre de sucre de la façon suivante : dans des contenants ouverts, on fait bouillir le jus de canne à sucre jusqu'à l'obtention d'un sirop, qui se transformera en vinaigre qu'on laissera ensuite vieillir dans des barils de chêne. Dans les Antilles et autres lieux aussi exotiques, on crée le vinaigre de sucre à partir de vin de canne à sucre ou de mélasse.

VINAIGRE DE MIEL

Il se fabrique à partir d'hydromel (obtenu par la fermentation alcoolique de miel dilué dans de l'eau) auquel on impose une fermentation acétique. Peu connu il y a quelques années, le vinaigre de miel occupe maintenant une place enviable dans la gastronomie.

VINAIGRES DE JUS DE FRUITS ET AROMATISÉS

De plus en plus populaires, on trouve ces vinaigres dans toutes les boutiques de produits fins. On les fabrique avec de petits fruits auxquels on ajoute de l'eau et du sucre et qu'on laisse fermenter jusqu'à l'obtention d'un vinaigre.

Dans les vinaigrettes, on substitue souvent, au vinaigre blanc ordinaire, un vinaigre de framboise ou un vinaigre de vin rouge à l'ail, au basilic, à l'estragon.

AUTRES VARIÉTÉS

Moins connus, mais intéressants, sont les vinaigres de raisin sec, de figue, de datte, de noix de coco, de rhubarbe, de melon, de banane, de sirop d'érable, de whisky et de tant d'autres ingrédients dont une nomenclature exhaustive serait par trop fastidieuse pour le lecteur.

Nota bene : Pour fins thérapeutiques, je déconseille tout vinaigre qui n'a pas été fabriqué de façon entièrement artisanale, selon un procédé authentique.

CHAPITRE IV

Un divin élixir

On a beau avoir des goûts éclectiques,
il n'empêche que les préférences, ça existe ;
j'ai choisi le vinaigre de cidre de pommes artisanal
et c'est celui que je propose à tous ceux et celles
qui s'acheminent vers une meilleure santé.

De tous les vinaigres utiles et salutaires qu'on peut se procurer par chez nous, il en est un que j'estime plus que tous les autres, à cause de sa saveur délicatement acidulée et de ses propriétés préventives et curatives : c'est le vinaigre de cidre de pommes fabriqué de façon artisanale. Ce n'est pas par hasard qu'il remplit un chapitre à lui seul : j'ai voulu lui accorder toute la place qu'il mérite.

Si tous les vinaigres *méthode artisanale* possèdent des propriétés bénéfiques pour la santé, le vinaigre de *cidre de pommes* artisanal surpasse tous les autres et on verra plus loin pourquoi. On ne le surnomme pas pour rien le *vinaigre santé*. C'est un vinaigre thérapeutique, rien de moins.

Une petite révision

Au tout début, la fabrication du vinaigre en général était artisanale. Il ne pouvait en être autrement. Le premier vinaigre était fabriqué par des artisans qui, analysant autant leurs échecs que leurs réussites, scrutant chaque résultat, mettant au point d'autres tests, parvinrent à se forger une bonne connaissance empirique. C'est ainsi qu'ils nous ont laissé un savoir considérable.

Avec la révolution industrielle et le développement du commerce, l'on a commencé à produire pas seulement pour sa localité, mais aussi pour vendre ses produits à l'extérieur. Le vinaigre industriel s'est propagé de sorte que tout le monde avait, dans sa maison, du vinaigre blanc contenant des additifs minéraux en poudre.

Heureusement, les expériences des vinaigriers du temps passé ne se sont pas perdues dans la nuit des temps. Elles ont été compilées, publiées, archivées, et ont laissé à nos vinaigriers modernes une connaissance didactique imposante. Toutefois, il incombe à chaque créateur-vinaigrier de connaître toutes les subtilités des céréales ou des fruits utilisés, et de s'imposer des recherches, des tests, des analyses, se forgeant, à l'instar des pionniers dans le domaine, une connaissance empirique d'une grande portée.

Actuellement, il y a deux courants dans la fabrication du vinaigre : la fabrication artisanale et la fabrication industrielle, et, dans chaque catégorie, quelques sous-divisions attribuables aux différents équipements utilisés et à la qualité de la matière première.

Le maître-vinaigrier

Deux raisons m'ont dirigée vers le maître-vinaigrier Pierre Gingras : ma passion pour les aliments fermentés et sa quête incessante de l'excellence dans la fabrication de son vinaigre de cidre de pommes. Avec lui, les règles fondamentales pour un vinaigre de cidre de pommes de qualité supérieure sont respectées. Non seulement ses équipements sont-ils des plus perfectionnés, mais les procédés de fabrication du jus qui sera la base de sa recette de vinaigre de cidre de pommes, sont au-dessus de toute critique, et son jus est pur à 100 %, non filtré et non pasteurisé.

C'est la variété de pommes choisie qui détermine la saveur du produit final et ça! c'est le secret du maître-vinaigrier. Ce qui, par ailleurs, est un secret de polichinelle, c'est que, pour un jus de la plus haute qualité, il faille prendre des pommes cueillies dans l'arbre.

Il y a d'autres artisans québécois qui fabriquent du vinaigre de cidre de pommes de manière artisanale. Toutefois, il n'y en a qu'un qui le fabrique *entièrement* de façon artisanale et selon les procédés anciens: c'est Pierre Gingras.

L'intérêt nutritif du vinaigre de cidre artisanal

Un jour vient où, convaincu que l'apport du vinaigre de cidre à votre diète est souhaitable, vous vous trouvez à ce que j'appelle un carrefour. Quelle direction choisir? D'un côté s'offre à vous un éventaire de bouteilles de vinaigres de cidre de pommes de toutes marques, fabriqués de façon industrielle. De l'autre, un éventaire de vinaigres de cidre de pommes clairement identifiés *artisanal.* Il ne faut pas hésiter: c'est ce dernier qui tiendra toutes ses promesses et c'est facile d'en comprendre la raison.

Si un vinaigre de cidre est prêt en vingt-quatre heures ou en quelques jours, il est impensable qu'il puisse contenir toutes les richesses vitaminiques et minérales qui se retrouvent dans celui qui est fabriqué avec patience, avec connaissance, en utilisant des équipements de première qualité et dans des conditions optimums et surtout! en lui laissant le temps de développer la *mère vinaigre* et l'acide acétique essentiel.

Rappelons-nous seulement les étapes de son développement et nous serons de nouveau saisis d'admiration. Un jus de pommes est d'abord placé dans des cuves de première fermentation pendant trois mois au cours desquels il va devenir un bon cidre. Lorsque ce cidre est prêt, il est transféré dans des barils de chêne pour une deuxième fermentation. Il y passera toute une année! C'est le minimum de temps nécessaire aux bonnes bactéries pour faire leur travail et pour aller chercher le maximum d'enzymes, car il ne faut jamais perdre de vue que c'est par l'action des enzymes et des bactéries que les vitamines vont se développer et se multiplier.

Quand le produit aura atteint l'étape ultime, c'est-à-dire la mise en bouteille, il sera devenu un aliment vivant, extrêmement riche en éléments nutritifs.

Quels sont-ils, ces éléments nutritifs, vitamines, minéraux, oligo-éléments? Et que comprendre des qualificatifs *acide* ou *alcalin* que l'on rencontre dans tous les traités d'alimentation et qui caractérisent votre *terrain* ou, si vous préférez, votre *milieu biologique*, le milieu intérieur de votre organisme?

Les vitamines du groupe B, qui sont très bénéfiques au système nerveux en général et dont certaines sont particulièrement précieuses pour la mémoire et la peau. Lorsque le vinaigre de cidre est fabriqué de façon artisanale, il contient, entre autres, des vitamines B_1 (thiamine), B_2 (riboflavine), B_3 (niacine), B_5 (acide pantothénique), B_6 (pyridoxine), des minéraux et des oligo-éléments dont le bore, le chlore, le fluor, le silicium et le souffre. Il contient également du fer, du magnésium, du manganèse, du phosphore et, particulièrement en grande quantité, du potassium.

CALCIUM ET MAGNÉSIUM

Le calcium est essentiel aux muscles et aux os, et pour remédier aux problèmes de décalcification. Il est très important pour la femme enceinte et toutes les personnes souffrant d'ostéoporose. En outre, sans lui, les muscles ne parviendraient même pas à se contracter adéquatement. Sans lui, l'on assisterait à la formation de caillots sanguins. Mais attention! Le calcium dont je veux parler est celui qui est présent dans les aliments. Donc, avant de se précipiter au magasin pour acheter du calcium en bouteille, ou même d'augmenter les aliments contenant du calcium, il faut à tout prix se doter d'un outil capable de favoriser son assimilation par notre organisme ; parmi les effets nocifs, le pire et le plus fréquent étant la formation de dépôts calcaires sur les muscles et sur les articulations. Cet outil indispensable, c'est le vinaigre de cidre artisanal qui, par son acidité naturelle, permet d'assimiler le calcium présent autant dans les comprimés que dans les aliments que nous consommons.

Le magnésium, on le sait, aide, lui aussi, à l'assimilation du calcium. J'en profite pour dire que je préfère des personnes qui absorbent du magnésium plutôt que du calcium, si elles décident de le prendre en comprimés, parce que le calcium, s'il n'est pas assimilé, devient très nocif.

FER ORGANIQUE

Le vinaigre de cidre artisanal contient une bonne quantité de fer *organique*. J'insiste sur le mot *organique*, parce que je connais des gens qui prennent du fer en bouteille. Vous savez, quand on prend du fer en bouteille, on prend du fer ! Du métal ! Pas étonnant que s'ensuivent des indigestions, des nausées, de la constipation.

Sauf dans des cas rarissimes où l'on ne peut faire autrement, la seule façon de prendre du fer, c'est en consommant des aliments qui en contiennent. C'est ça, du fer *organique*, naturel, assimilable. Or, non seulement le vinaigre de cidre contient-il ce fer assimilable, mais il a, en plus, la propriété de permettre l'assimilation du fer contenu dans d'autres aliments. En voici un exemple : le foie. Lorsque vous en consommez, habituellement l'organisme en conserve une partie et en rejette une bonne quantité. Or, si vous prenez du vinaigre de cidre, il y a de grosses chances que vous n'en perdiez pas du tout.

POTASSIUM

Le vinaigre de cidre contient une quantité importante de potassium, qui est d'une importance capitale. Selon de nombreuses études, il aide à régulariser le rythme cardiaque, ce qui n'a pas de quoi surprendre puisqu'il nourrit les muscles et que le cœur est un muscle.

Voyons ses autres propriétés. Il est extrêmement bénéfique et très utile dans le traitement de toutes sortes d'affections. Quand le corps ne reçoit pas un taux adéquat de potassium, il est sans défense.

Il fait très bon ménage avec les autres minéraux présents dans le vinaigre, qui augmentent son efficacité. Il favorise la croissance des cellules, des tissus et des organes. Il neutralise les effets dommageables du sodium, en particulier la rétention d'eau et, conséquemment, l'hypertension. Car un manque de potassium permet au sodium et à l'eau de pénétrer dans les cellules, causant de l'œdème.

De plus, le potassium est essentiel à la contraction musculaire. Sans lui, le sucre ou glucose ne peut être transformé en glucogène, donc, en énergie. Or, sans énergie, on assiste à une panne, tout comme dans le cas d'un moteur, et si les muscles n'arrivent plus à se contracter, il peut en résulter une paralysie partielle.

Le potassium est la nourriture des muscles comme le calcium est la nourriture des os. Or, comment une carence en potassium peut-elle se produire? Les personnes carencées en potassium se retrouvent parmi celles qui se nourrissent de fruits ou de légumes bouillis ou en conserve, qui sont très pauvres en nutriments. Il y a aussi celles qui prennent fréquemment des aspirines parce que ces dernières drainent avec elles du potassium dans l'urine.

Il y a eu une étude intéressante relativement aux effets d'une carence en potassium. On a soumis des animaux à un régime excessivement riche en gras et en sucre. Or, quelle ne fut pas la surprise des chercheurs lorsqu'au terme de l'expérience, ils se rendirent compte que ce n'était pas nécessairement le cholestérol trouvé dans les artères qui présentait le plus grand danger, mais plutôt le sucre qui bloquait les artères et les vidait de leur potassium.

Le potassium, c'est la force du vinaigre de cidre. C'est ce qui en fait toute la magie. Tout est là !

Situations dénotant des carences en potassium

Arthrite
Constipation
Crampes dans les muscles, surtout dans les jambes, la nuit
Démangeaisons fréquentes
Dépression
Détérioration accrue des dents
Difficulté à dormir
Douleurs dans les articulations
Durillons ou cors aux pieds
Fatigue mentale ou physique
Fragilité des ongles
Guérison lente des coupures, des ecchymoses
Impatience
Mémoire déficiente
Perte de l'agilité mentale
Perte des cheveux
Perte temporaire d'appétit accompagnée de nausées, de vomissements
Rhumes fréquents
Susceptibilité au froid, surtout au niveau des mains et des pieds
Tendance à l'hésitation dans la prise de décisions
Vieillissement précoce

Nombreux sont ceux qui, ayant commencé à inclure le vinaigre de cidre dans leurs habitudes alimentaires, ont connu de grandes améliorations dans leur état. Cela s'est fait tout doucement et puis, un beau jour, ils se sont exclamés : *Ah ! bien, r'garde donc ça ! Tel petit bobo, il est parti !*

Le bore joue un rôle important dans le métabolisme de plusieurs minéraux, apportant sa contribution au calcium dans sa tâche de former et de conserver les os. Le vinaigre de cidre en contient et, lorsqu'il le libère, cela produit toutes sortes de bonnes choses. S'il y a déficience, les os pourraient être mal formés. Chez les plantes, on remarque que celles qui manquent de bore restent naines.

On le constate une fois de plus : lorsqu'il est de fabrication artisanale, le vinaigre de cidre est un aliment parfait. Ne provient-il pas de la pomme, qui est parfaite ? Tout y est bien dosé, chaque vitamine, chaque minéral et chaque oligo-élément qu'il contient s'assimilant les uns aux autres dans une parfaite harmonie.

C'est pourquoi je n'ai jamais, dans ma profession de naturopathe, encouragé l'absorption de vitamines ou de minéraux synthétiques en bouteilles qui finissent par surcharger l'organisme tout en déchargeant le porte-monnaie.

On n'est pas ce que l'on mange ! On est ce que l'on assimile.

ENZYMES

Nous parlerons plus longuement des enzymes dans le chapitre consacré aux aliments fermentés. Il en coûterait une petite fortune pour trouver les nombreuses variétés d'enzymes présentes dans le vinaigre de cidre. Toutefois, il y en a deux qui sont connues, dont on ne peut contester la valeur et qui travaillent très fort pour assurer la digestion. La première, la protéase, s'active à digérer les protéines et la deuxième, l'amylase, s'occupe de la digestion des amidons. Ajouter à un repas une petite salade additionnée de vinaigre de cidre garantit une bonne digestion.

LA MÈRE VINAIGRE

C'est une merveilleuse créature. Et oui ! Car c'est la partie vivante du vinaigre de cidre. Comme vous le lirez dans le prochain chapitre, *La fabrication artisanale*, la mère vinaigre est une membrane qui se forme à la surface du tonneau et qui absorbe toutes les impuretés qui viendraient de l'extérieur. En fait, le rôle de la mère vinaigre change selon qu'elle se trouve à la surface du foudre ou dans la bouteille. Dans la bouteille, elle ne se nourrit plus des impuretés, mais seulement des enzymes et c'est pourquoi elle prend tellement de volume. De nombreuses personnes, trouvant son aspect répugnant à cause de la masse gélatineuse qu'elle présente, surtout quand elle devient vraiment grosse, la coulent au travers d'une passoire et la jettent. S'il vous plaît, ne la jetez pas !

Aussi, si vous êtes de ces personnes, je vous propose, pour la prochaine fois, de la passer au robot culinaire avec d'autres ingrédients de façon à en tirer une bonne vinaigrette, pleine de minéraux, d'enzymes et de vitamines, surtout de potassium. Vous verrez avec étonnement se former une autre mère vinaigre dans votre bouteille, signe que le vinaigre est puissant.

Ce qu'on peut faire aussi, c'est de brasser le vinaigre avant d'en verser dans l'eau. Ainsi on est assuré de tirer de cet élixir tous les bénéfices.

Pour en avoir fait l'expérience moi-même, j'ajoute que, lorsqu'on a en sa possession une grande quantité de vinaigre de cidre, il ne faut pas craindre qu'il se gâte, puisque le vinaigre est lui-même un agent de conservation !

Cette mère vinaigre, comme elle est précieuse ! De grâce, laissez-la vivre !

Il ne faut surtout pas confondre mère vinaigre et lie. On trouve parfois des bouteilles de vinaigre qui présentent une espèce de dépôt noir au fond. C'est une mère morte. N'achetez pas ça ! Une vraie mère vinaigre, une bonne mère vinaigre, est gélatineuse et de couleur blanc jaunâtre.

PECTINE

C'est une matière pectique neutre qui résulte de la transformation de la pectose de fruits comme les pommes et les prunes, par exemple. La pomme est un fruit particulièrement riche en pectine, laquelle devient encore plus concentrée dans le vinaigre de cidre. Gélatineuse, elle joue plusieurs rôles dont celui d'agglutiner le mauvais cholestérol quand elle passe dans les artères, et aussi les nombreuses bactéries nuisibles de la flore intestinale. Le vinaigre de cidre est reconnu pour régler les problèmes de constipation et c'est justement grâce à la pectine qu'il contient.

Parmi les nombreux témoignages révélant l'action bénéfique du vinaigre de cidre artisanal, la majorité mentionne une baisse du taux de cholestérol et un bon fonctionnement des intestins... voilà l'exemple du rôle précieux que joue la pectine.

Acide? Alcalin?

Que signifient ces deux termes?

Alcalin, issu du mot alcali, veut aussi dire basique. Par exemple, certains métaux deviennent alcalins s'ils sont combinés avec l'oxygène: le sodium, le lithium, le potassium, et d'autres.

Quant à l'acide, c'est un constituant chimique universel antagoniste de l'alcali.

Il existe des aliments acides, des aliments acidifiants, des aliments basiques ou alcalins et des aliments alcalinisants. Ce n'est pas parce qu'un aliment est acide au goût qu'il est acidifiant. Par exemple, le vinaigre de cidre est acide au goût, mais il n'est pas producteur d'acide, donc il n'est pas un aliment acidifiant, pas plus que le citron ou la choucroute. Lorsque ces aliments seront rendus dans l'organisme, notre corps va utiliser leurs bases minérales pour produire un effet alcalinisant. Donc, leur emploi sera bénéfique.

Il se peut qu'une personne soit tellement acidifiée qu'elle éprouve des difficultés avec les aliments acides, comme la viande qui va, aussitôt ingérée, se transformer en acide urique. Il est donc primordial de faire une bonne évaluation de son terrain et de commencer doucement l'ingestion de vinaigre de cidre en notant les résultats. Cela dit, de manière générale, le vinaigre de cidre artisanal est salutaire pour à peu près tout le monde.

Il y a d'autres aliments acides qui ne sont pas acidifiants : le miel, le citron, le yogourt, la choucroute, pour ne nommer que ceux-là.

Parmi les aliments basiques, il y a la patate douce, la pomme de terre, les amandes, les légumes verts, les huiles de première pression, la banane, et bien d'autres.

Pour jouir d'une bonne santé, appliquez-vous à atteindre au meilleur équilibre acido-basique en consommant, dans une savante proportion, les aliments acides et les aliments basiques.

CHAPITRE V

La fabrication artisanale

Dans la plupart des livres qui traitent du vinaigre,
on nous parle de ses vertus, on nous donne des recettes,
mais nous a-t-on jamais instruit de sa fabrication?
Eh bien, enfin! J'ai rencontré un maître-vinaigrier
qui va nous guider dans toutes les phases
de la transformation de la pomme au vinaigre.
Suivons-le dans cette complexe opération.

Un maître-vinaigrier digne de ce nom n'utilisera jamais
des pommes tombées, car, on ne le dira jamais assez, la qualité
d'un vinaigre de cidre dépend directement de la matière première
utilisée.

La première
phase est donc
la cueillette,
dans l'arbre,
des pommes
soigneusement
sélectionnées.

Brossage
des pommes

Lavées et brossées, les pommes sont ensuite hachées, puis finement broyées, pour devenir une compote.

Cette compote est ensuite passée au tamis dans un pressoir artisanal pour donner un jus naturel à 100 %, sans additif chimique ni agent de conservation. Un jus sans ajouts de sucre, frais, de couleur brunâtre, fait sur place de façon artisanale. Car on a beau faire du vinaigre de cidre de pommes de façon *artisanale*, il faut avant tout que le jus utilisé ait, lui aussi, été fabriqué de manière artisanale. Tout se tient.

L'ensemble de la presse à jus

À ce stade, l'on procède au prélèvement d'échantillons de ce jus au moyen d'un densimètre, dont la lecture indiquera la densité de sucre naturel contenu dans le jus. Le résultat obtenu permettra au maître-vinaigrier de faire une prévision approximative du pourcentage d'alcool que l'on retrouvera dans le cidre.

Compote de pomme

C'est le moment de recueillir cette *fontaine de Jouvence*, ce jus incomparable, pour le mettre dans des cuves de première fermentation, processus au cours duquel il s'éclaircit et les particules de pulpe remontent à la surface, puis sont retirées. Le liquide reposera pendant environ trois mois pour devenir un *excellent* cidre de pommes artisanal.

Lorsque les pommes ont donné toutes leurs richesses, ce qui en reste – les résidus – est envoyé aux champs pour y passer

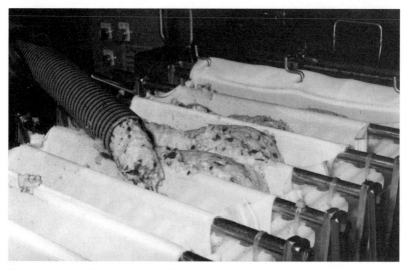

Compote déposée dans les tamis

Le jus coule
des tamis

deux ans, au cours desquels il est brassé régulièrement : ceci, afin de permettre à la pulpe de mûrir convenablement pour donner un excellent compost naturel. Cet engrais sera utilisé dans la culture du maïs et de l'orge sur les terres du verger.

Une fois que le cidre est à point, il est transféré dans les foudres de chêne où il passera toute une année pour effectuer la deuxième fermentation. Une des raisons fondamentales d'une fermentation aussi longue est de laisser aux bonnes bactéries le temps de faire leur travail, et, surtout, d'aller chercher le maximum d'enzymes, ces petites travailleuses si précieuses pour notre santé.

Le rôle des foudres

Le terme correct pour désigner un tonneau, ou baril, de chêne, est *foudre de chêne*. Il en est des foudres comme il en est des pommes : de leur qualité dépendra celle du vinaigre de cidre. Les meilleurs sont faits de bois, de chêne de préférence, à cause de son grain très particulier et aussi de son parfum, qui adoucit le goût du vinaigre. On en fabrique en Amérique du Nord, mais c'est en Europe qu'on trouve des chênes au grain d'une finesse incomparable. Pour assurer la plus haute qualité de son produit, Pierre Gingras n'a jamais lésiné sur les équipements et il ne va jamais le faire, surtout depuis qu'il sait que nombreux, parmi ses clients, l'utilisent à des fins thérapeutiques. On n'est donc pas surpris d'apprendre que les gigantesques foudres de la Vinaigre-rie artisanale Verger Pierre Gingras proviennent de la région de Cognac, en France. Ils sont fabriqués à la main, sur mesure, par les artisans d'une maison qui se spécialise depuis deux siècles. Ce sont des chênes de merrain, à grain fin, à l'origine d'une sélection des meilleures forêts de haute futaie du centre de la France.

La coupe doit être faite avec un instrument très précis, en suivant fidèlement la veine de l'arbre. C'est une condition sine qua non pour que le foudre soit approuvé.

Pour permettre à l'artisan de donner au foudre sa forme, il faut chauffer la pièce avec des copeaux, également de chêne, afin de ne pas en altérer le parfum.

Voici des images saisissantes des chênes utilisés, de la coupe du merrain et des foudres au moment où ils subissent le brûlage, ces foudres essentiels à la production des meilleurs vins... et des meilleurs vinaigres.

Aperçu des forêts de haute futaie du centre de la France, d'où l'on extrait les chênes.

Voilà le spectacle dantesque que donne le brûlage des foudres.

Une petite remarque en passant : on voit souvent, dans les magasins, du vinaigre qui a été fermenté dans des réservoirs d'acier inoxydable ou dans des contenants de matière synthétique. Les coûts de production sont ainsi moins élevés, mais ce liquide n'est pas ce que l'on peut qualifier de vinaigre artisanal. Sans compter que ces procédés confèrent au vinaigre une certaine amertume et une fermentation différente.

Un artisan qualifié procède
à la coupe du merrain.

Contrairement au procédé utilisé pour la fermentation d'un bon vin, où le foudre doit être fermé, dans le cas du vinaigre de cidre artisanal, le baril est ouvert, car l'action combinée de l'oxygène et de la chaleur est indispensable à la production de l'acide acétique. Mais alors, qu'arrive-t-il à toutes les impuretés, à la poussière, qui pourraient pénétrer à l'intérieur et tout contaminer?

Cette question nous amène à une étape des plus fascinantes : la formation de la mère vinaigre. Toutefois, avant d'entreprendre cette étape, je tiens à préciser que la mère vinaigre joue deux rôles très différents, selon qu'elle se forme à la surface du foudre ou au fond de votre bouteille de verre. Pour celle qui se forme dans la bouteille, voir le chapitre intitulé *Un divin élixir*, et celui intitulé *Des réponses à vos questions*.

La mère vinaigre

Dès le début du processus d'acétification, il se forme, au-dessus du vinaigre, une espèce de membrane appelée *mère vinaigre*. Le rôle de cette *mère vinaigre* est capital, autant dans le processus de fermentation qu'en ce qui a trait à la santé. Elle se nourrit de l'alcool du cidre et, en plus de filtrer, au passage, toutes

les impuretés qui pourraient se trouver dans l'air ambiant, elle capte et agglutine les particules qui se trouvent à l'intérieur du vinaigre.

La mère vinaigre
à la surface du baril

53

En fait, c'est sa première utilité que de purifier l'air avant même qu'il n'entre dans le foudre. La mère vinaigre, c'est une véritable usine de filtration, ni plus, ni moins, qu'il ne faut jamais déplacer, ce qui la précipiterait au fond avec, comme résultat, qu'il faudrait reprendre tout le processus à partir du début.

Les mouches à fruits

Toutes les fermentations à fruits attirent leurs propres variétés de mouches, qui volettent en tous sens juste au-dessus du liquide en transformation. Elles participent au processus de fermentation, car elles transportent les ferments acétiques. C'est un phénomène naturel.

L'importance d'une température stable

La température dans la vinaigrerie a un effet direct sur le résultat. Le fabricant doit s'assurer deux à trois fois par jour de sa stabilité. Si la température est trop élevée ou trop basse, le processus de fermentation sera inversé et, par conséquent, la fermentation sera ratée. Le taux d'humidité est un autre facteur tout aussi important, de même que la pression atmosphérique, laquelle contribue à l'évaporation du précieux vinaigre. Si le vinaigre s'évapore trop, les enzymes partiront avec lui en emportant toutes les propriétés thérapeutiques du vinaigre de cidre, ainsi que son arôme délicat.

L'embouteillage

L'étape suivante est tout aussi importante, puisque c'est le moment d'embouteiller ce beau liquide de couleur ambre qui a été préalablement passé.

Le maître-vinaigrier a pris soin de faire analyser régulièrement son vinaigre en vue de connaître le jour exact de l'embouteillage. Mais Pierre Gingras a sa propre façon de faire. Il met ses sens à contribution. Il commence par le humer. Ce seul geste donne déjà de nombreux indices. Ensuite, il fait appel à ses papilles gustatives, qui lui en apprendront davantage. Enfin, l'homme expérimenté observera avec le plus grand soin la couleur du liquide, attentif au moindre détail, à la moindre particule. Lorsqu'il aura obtenu l'information précise qu'il recherche, il prélèvera un échantillon de son produit qui sera analysé, pour confirmer la maturité parfaite du vinaigre.

Il faut vraiment être un maître afin de pouvoir reconnaître qu'un vinaigre est prêt à être embouteillé. En effet, un vinaigre sorti de son foudre prématurément sera encore alcoolisé.

Le maître-vinaigrier dans son laboratoire

Par contre, un retard de quelques semaines seulement suffira à diminuer les précieux enzymes qui commenceront à se détruire mutuellement. Résultat : le travail d'une année sera complètement détruit. On le constate, chaque étape de la fabrication met à l'épreuve l'expérience et la patience de l'artisan.

Et les résidus chimiques?

Mettons une chose au clair : les pommes utilisées pour la fabrication du vinaigre de cidre sont cultivées de manière écologique, ce qui réduit les arrosages au minimum. De plus, Agriculture et Agroalimentaire Canada effectue des analyses annuelles afin de vérifier s'il y a, sur les pommes, des résidus qui pourraient nuire à la santé. Mais pour ceux qui ont compris le processus de la fermentation et le rôle de la mère vinaigre, une certitude s'impose : aucun résidu susceptible de gêner l'équilibre n'a survécu. Tout a été purifié par la fermentation.

Vinaigre de cidre biologique

Pour répondre à une demande sans cesse croissante, la fabrication d'un vinaigre de cidre de pommes *biologique* et artisanal est actuellement en cours. Il sera prêt pour la consommation au mois d'avril de l'an 2000. Les pommes utilisées proviennent d'un verger certifié biologique.

Mais... qui est-il?

Au terme de ce chapitre consacré à la fabrication artisanale du vinaigre de cidre de pommes, une question vous brûle les lèvres : qui est Pierre Gingras?

Vous avez sans aucun doute remarqué au fil des pages que son nom revient souvent. C'est que je suis consciente du fait qu'il ne suffit pas d'emprunter quelques procédés ancestraux pour fabriquer un vinaigre digne d'être qualifié d'artisanal et de thérapeutique. Il faut aussi poursuivre fidèlement tout le processus de fabrication et de production selon cette même philosophie.

Je ne connais aucun autre producteur au Québec qui a ce souci de l'ultime qualité de son produit. Dès lors, comment aurais-je pu écrire un livre sur le vinaigre de cidre de pommes artisanal sans lui associer l'homme que j'ai vu à l'œuvre depuis plusieurs années, un maître-vinaigrier dans toute l'acceptation du terme?

Pour le connaître davantage, suivez-moi...

CHAPITRE VI

La naissance d'une passion

Assis en face de moi,
le maître-vinaigrier me parlait
de son verger et de son jus de pommes et,
tout à coup, ses yeux s'illuminèrent.

— *Un jus de pommes parfaitement pur ne se conserve pas longtemps. Or, un après-midi où je contemplais avec tristesse toutes ces bouteilles de savoureux jus invendu que je serais obligé de jeter encore une fois, m'est venue la certitude qu'il y avait une alternative à ces pertes immenses. Si je trouvais quelque chose à faire avec ce surplus de jus? Mais oui! Du vinaigre de cidre!*

Mon entreprise était née.

Cette déclaration nous renseigne sur une des nombreuses facettes de la personnalité de l'homme que je désire vous faire connaître : l'esprit d'invention. Je ne saurais en trouver une meilleure pour nous introduire dans son univers. Un univers qu'il a créé au prix de multiples labeurs et d'échecs transformés en victoires.

Mais n'anticipons pas.

Pomiculteurs de père en fils

Il était une fois, à Rougemont, en Montérégie, dans la province de Québec, une région montagneuse peuplée de vergers

Le mont Rougemont

plantureux. Une région si belle qu'on y venait de partout, surtout à l'automne pour la récolte des pommes.

En 1880 y vivait la famille d'Alfred Gingras, un propriétaire terrien. C'est l'ancêtre qui nous intéresse puisque c'est avec lui que tout a commencé. Parallèlement à l'élevage d'animaux, surtout de vaches laitières, Alfred faisait un peu de jardinage, mais il se consacrait surtout à la grande culture céréalière. Une partie de son vaste domaine était plantée de pommiers dont il tirait une grande fierté.

Alfred était un homme honnête, travailleur et respecté par ses conci-toyens. Il est donc normal qu'il ait fait

Alfred, arrière-grand-père (à gauche) en compagnie de son fils Joseph, grand-père de Pierre Gingras

partie, à titre de conseiller, du premier conseil municipal mis en place à l'occasion de la fondation de Rougemont. C'était en 1887.

Alfred eut quatre épouses et six enfants naquirent de ces mariages, dont cinq filles et un garçon baptisé Joseph, le plus jeune à naître de son premier mariage avec Odile Charron.

Lorsque vint pour lui le temps de prendre épouse, Joseph jeta son dévolu sur la fille aînée d'une famille voisine, les Meunier. C'était une femme forte et courageuse, qui ne comptait pas ses heures. En dépit de la lourde tâche que représentait l'éducation d'une famille nombreuse, elle aidait son mari aux travaux des champs.

Georges Wilfrid
Pierre

Ces deux photos, que quelque trente ans séparent, nous montrent Georges Wilfrid et son fils, représentant de la quatrième génération. Pour l'observateur, déjà se décèlent, dans son regard intense, cette gravité en même temps que cette flamme qui animeront Pierre dans tous les événements marquants de sa vie.

La première guerre mondiale tirait à sa fin. Personne n'avait imaginé qu'un fléau plus grand encore, qui ferait environ vingt millions de victimes, plus que la guerre elle-même, s'abattrait sur le monde. En effet, la grippe espagnole avait frappé tous les continents, exterminant parfois des familles entières. Madame Meunier ainsi que treize de ses quatorze enfants furent atteints mortellement.

Son deuil accompli, Joseph s'éprend de la plus jeune sœur de sa défunte femme, qu'il épouse. Yvonne, à son tour, lui donne deux filles et deux garçons dont l'un s'appelle Georges Wilfrid. En raison de son travail acharné et de la collaboration étroite et successive de ses deux épouses, Joseph a développé son patrimoine au point qu'il se trouve maintenant propriétaire de trois fermes. Il décide d'en vendre une, mais conserve les deux autres afin d'avantager ses fils au moment opportun.

Parmi les voisins de la famille de Joseph Gingras se trouve une bien charmante enfant, Gilberte Hamel, qui fréquente la même école primaire que le petit Georges Wilfrid. Elle vient souvent à la maison partager les jeux de la sœur de Georges Wilfrid qui la trouve pas mal de son goût. Les enfants s'entendent très bien. Souvent, ils partagent les travaux de la ferme. C'est ainsi qu'ils apprennent le rythme des saisons et ce que chacune réserve, pour un fermier, d'efforts à fournir mais aussi de moissons.

Les années passent et l'amitié se transforme en un sentiment plus tendre. Un jour, Georges Wilfrid se présente chez ses voisins en grande tenue : complet et cravate, coiffure impeccable. Il vient demander la main de celle qu'il a élue depuis longtemps pour partager sa vie. Le mariage est célébré le 7 juin 1945, à Rougemont. En peu de temps, la maison paternelle se remplit de gazouillis, de rires et de joyeux bavardages avec la naissance de cinq enfants, deux filles et trois garçons.

Voilà de quoi motiver. Comme son père avant lui, Georges Wilfrid, généreusement épaulé par sa jeune femme, consacre toutes ses énergies à faire fructifier son bien.

L'aventure du marché Jean-Talon

Nous sommes en 1951. Au marché Jean-Talon, le plus important marché public de la province de Québec, on loue des espaces où les jardiniers-maraîchers peuvent tenir leurs éventaires et vendre leurs produits. Georges Wilfrid a la bonne idée de louer un emplacement pour y vendre son miel, ses produits de l'érable, quelques légumes, ses fraises et les pommes de son verger. Dynamique comme il est, il trouve probablement qu'il lui reste trop de temps de loisirs puisqu'il entreprend de cultiver des pois pour le compte de grandes conserveries comme la David Lord, qui deviendra un jour la compagnie Ideal. Se faisant transporteur pour d'autres producteurs de pois, on le verra aussi, au volant de son camion gréé d'une remorque, sillonner les routes pour aller livrer sa marchandise.

Le moment vient où Gilberte et Georges Wilfrid se sentent prêts à acquérir une des deux fermes que Joseph avait conservées. Perpétuant la profession de son grand-père et de son père, Georges Wilfrid maintient l'élevage de vaches laitières et surtout la grande culture céréalière. Un jour cependant, décidant de laisser tomber l'élevage pour s'adonner plus précisément à la pomiculture, il repoussera les frontières du verger paternel situé dans le rang de la Grande Caroline, qui deviendra un sommet de la pomiculture dans Rougemont.

Mais une petite déception attend Georges Wilfrid. Malgré que ses enfants collaborent de grand cœur aux travaux, ils semblent avoir déjà choisi leur voie et s'y préparent en s'adonnant à leurs études sérieusement.

Les Gingras ont déjà deux enfants quand, le 12 janvier 1954, Pierre voit le jour dans le berceau et la même chambre que son père et son grand-père.

Dès ses premières années, il fait montre d'une vitalité et d'une joie de vivre communicatives. Docile quoique très actif, il se passionne pour les activités extérieures même durant l'hiver. Il faut un froid extrêmement rigoureux pour le garder dans la maison. Il suit son père partout, ce qui oblige ce dernier à doubler de vigilance pour éviter tout incident fâcheux.

On remarque tôt son inventivité peu commune. Bricolant sans cesse, il va même jusqu'à créer toutes sortes de machines,

comme celles qu'il admire sur le tracteur de Wilfrid. Il faut le voir aller sur son tricycle aux roues desquelles il a fixé une faux !

Le petit Pierre
sur son premier tracteur

L'enfance se déroule normalement et Pierre devient un garçonnet sérieux, réservé, plutôt timide. Étonnamment, lui si plein de ressources, commence à démontrer un manque d'assurance qui finit par influencer son entourage. On hésite désormais à lui confier des responsabilités et à faire appel à son sens de l'initiative. Par ailleurs, il est très bon en classe. Doté d'une capacité de concentration remarquable et d'une excellente mémoire, il n'a même pas besoin de consacrer des heures aux devoirs et leçons habituels d'un écolier.

Mais hélas, le travail commande, sur une ferme, et on lui demande d'abandonner ses cours afin de venir en aide à son père, ce qu'il refuse.

À l'issue d'un été où il a travaillé sur la ferme plus que ses forces ne le lui permettaient, il se retrouve complètement épuisé. Ses professeurs lui conseillent vivement de prendre un congé. Une semaine de solitude et de repos lui permet de reprendre ses études au collège de Saint-Césaire où il fait sa onzième année. Toutefois, constatant qu'il a pris du retard en mathématiques et n'acceptant pas la médiocrité, il décide de quitter définitivement les études pour travailler sur la ferme.

La musique lui apporte de grandes joies. Aussi, pour occuper ses loisirs, il s'inscrit à des cours de guitare et se produit avec un petit ensemble paroissial. À certaines occasions, on fait appel à ses services pour accompagner d'autres artistes. Il prend un réel plaisir à enregistrer ses pièces préférées sur un petit magnétophone. Il construit deux enceintes qu'il traîne partout avec lui.

S'il aime la musique pop et les airs rock, ses matinées du dimanche, il les consacre à l'écoute de la musique classique.

Et le temps passe...

Qui peut se vanter de connaître les rêves des enfants, surtout de ceux-là qui sont plus renfermés, repliés sur eux-mêmes ?

Sous des dehors timides, Pierre cache une soif de créativité qui n'attend que l'occasion pour s'exprimer. Il a la tête farcie de projets, de rêves. Il se voit chef d'entreprise. Mais comment réussir à atteindre son idéal s'il reste dans son milieu, où il ne se sent pas valorisé ?

C'est ainsi qu'on le retrouve un jour à la conserverie de Saint-Césaire. Expérience qui se révèle décevante pour l'adolescent de dix-sept ans. Un horaire rigide, un milieu fermé, un manque de liberté d'action, pour un enfant qui vient de quitter la ferme, c'est un choc. Comme dans la chanson, il a fait... un très long détour pour apprécier ce qu'il a chez lui, dans ce magnifique pays de montagne.

Devant la détermination apparente de leurs enfants à faire leur vie dans une sphère d'activité étrangère à la ferme, les Gingras décident de vendre leur bien et font part de leur décision autour d'eux. Au retour de quelques jours de vacances bien méritées qu'ils viennent de passer dans la parenté, des acheteurs s'annoncent. En effet, une voiture vient de stopper près de la maison et deux messieurs en descendent. Pierre qui, par un heureux hasard, est présent, se doute bien qu'il s'agit d'acquéreurs potentiels. Il se précipite vers la maison et là se produit un revirement inattendu.

— *Papa! Vends pas! Vends pas!* insiste-t-il.

C'est la stupéfaction!

Les acheteurs s'en retournent penauds. Quant à Pierre, il vient de sceller son destin.

Pierre fourbit ses armes

Dans les premiers temps qu'il consacre à aider ses parents, Pierre s'intéresse plus particulièrement à la pommeraie et devient bientôt le bras droit de son père au marché Jean-Talon. Mais il aspire à plus que ça. Convaincu que, pour réussir, il doit secouer la cage que représente l'autorité de ses parents peut-être un peu trop protecteurs, il décide d'acheter une porcherie et il en informe son père. Wilfrid est médusé. Pierre va acheter une porcherie? Sur une autre terre?

— *Vendons-lui plutôt une partie de la nôtre*, dit-il à sa femme.

Le 21 décembre 1976, c'est chose faite. Pierre est propriétaire de la moitié du terrain de grande culture, avec la moitié du verger. Il lui faut désormais faire ses preuves, selon l'expression populaire. Or, à partir du moment où il est à son compte, une véritable métamorphose s'opère en lui. De timide qu'il était, il devient plus fonceur. Les talents et les qualités latentes chez lui font surface. Il se révélera un esprit brillant, un travailleur infatigable, un chercheur appliqué, un brillant gestionnaire. Il aura, selon l'expression courante, la bosse des affaires.

Au mois de mai 1977, avec un capital plus que modeste, il construit une porcherie pouvant contenir 1 500 têtes et se lance dans l'engraissement des porcs pour le compte d'un tiers, une entreprise qui se poursuivra pendant quinze ans. Parallèlement à cette activité, il continue la culture céréalière et, comme il possède une partie du verger, il s'occupe aussi de ses pommes avec beaucoup d'intérêt. Lorsque ses parents lui vendent la deuxième partie de la ferme, le 15 février 1981, il investit pas mal d'argent dans le but de moderniser les équipements qui servent à l'entretien du verger.

Aussi surprenant que cela puisse sembler, ce jeune homme séduisant, très réservé, indiscutablement talentueux, pas très mondain, ne semble pas pressé de se marier. Or, il se trouve, dans ses relations d'affaires, un Hollandais d'origine établi au Québec, marié avec une fille de Saint-Barnabé qui a une sœur prénommée Angèle. Jacques – c'est son nom – lui parle souvent de sa belle-sœur et – comme on l'apprendra plus tard – parle aussi de Pierre à Angèle. Les mois s'écoulent. Timidité? On ne sait pas, mais Angèle attendra le mariage de son frère avant de manifester son désir que Pierre l'accompagne pour l'occasion.

Leur première rencontre ne provoque pas d'étincelles. Rien de surprenant à cela. Nous sommes en face de jeunes gens réfléchis, pour qui rien de durable ne saurait se faire sans le temps. Mais l'amour s'installe tout doucement entre eux. Pierre apprécie cette jeune femme dotée d'une personnalité très différente de la sienne, mais avec qui il s'est découvert de grandes affinités.

Le mariage

Issue d'une famille de cultivateurs reconnus pour leur esprit d'entreprise, Angèle Leblanc, fille de Lucille Gauvin et de Georges-Étienne Leblanc, a appris jeune à partager et à collaborer. Elle connaît les aléas d'une entreprise rurale dont le succès ou l'insuccès dépendent souvent des caprices de Dame nature. Intéressée par les études, profondément humaine, elle suit un cours en techniques infirmières au Cégep de Saint-Hyacinthe où elle obtient son diplôme en 1974. Un premier poste d'infirmière à l'Hôtel-Dieu de Montréal, où elle passe deux ans, suivi d'un emploi dans une clinique médicale, lui confèrent une solide expérience qui la mène en gérontologie, à la Villa des Frênes, à Saint-Hyacinthe, où elle œuvre pendant dix ans. Ce dernier choix nous autorise à présumer qu'elle préfère la campagne, les grands espaces, l'air salubre, la proximité de la montagne, au rythme trépidant de la grande cité.

C'est cette femme mature, sobre autant dans sa tenue vestimentaire que dans sa coiffure, soucieuse du bonheur des siens, passionnée de lecture, aimant la vie rurale et les activités de plein air, qui va devenir le plus solide soutien de Pierre dans ses projets futurs. Particulièrement dans les moments difficiles, comme le gel mémorable de 1981 qui sera une catastrophe pour tous les pomiculteurs. C'était en février. Le mercure avait monté au point que la sève avait commencé à circuler dans les arbres. Et puis, un matin, atroce surprise, un gel, qui a fait fendre l'écorce des arbres. Plus de 200 000 pommiers périront au Québec dans une seule année. Ce désastre, un des plus grands dans l'histoire de l'agriculture au Québec, causé par des alternances de gel et de dégel, entraînera les Gingras au bord d'une faillite certaine. C'est là qu'Angèle se révèle complètement. Son jugement sûr, sa force morale, son ingéniosité, son ardeur au travail, s'avéreront indispensables et fructueux. Comme nous le verrons un peu plus loin, elle mettra sur pied plusieurs activités pour réinsuffler la vie à l'entreprise familiale.

Il n'est pas vain de rappeler qu'à la fin des années 80, après des dizaines de représentations et de pressions, les producteurs, Pierre à leur tête, avaient fini par obtenir du conseil municipal de Montréal que les permis de vente des produits de la ferme soient élargis aux produits transformés. Pour toutes les parties en cause, cette résolution s'était avérée un grand moment dans l'essor économique tant des producteurs que du marché et de la ville, qui bénéficiaient de larges retombées.

C'est ainsi que, d'étape en étape, la vie semble tracer à Pierre une voie dont il ne déviera jamais. C'est un aller simple, destination succès !

Le 10 janvier 1981,
les cloches sonnent
à toute volée
pour célébrer le mariage
de Pierre avec Angèle.
Trois enfants naîtront
de leur union.

Amélie, qui a seize ans, est très
polyvalente. Elle est attirée par
la musique et les arts picturaux
qu'elle étudie et pratique avec
une grande passion. Grâce à
ses talents incontestables, on
peut d'ores et déjà lui prédire
une carrière remarquable dans
l'un ou l'autre volet de
la famille des arts.

À quatorze ans, Louis-Charles rappelle beaucoup son père par son sérieux et sa réserve naturelle. Il est studieux, ponctuel et précis dans son travail. C'est un perfectionniste. Il a beaucoup de succès dans les sports d'équipe et les jeux d'adresse. Après ses leçons de guitare, il aime bien se détendre en écoutant de la musique alternative.

Quant au cadet, André-Philippe, le charmant petit clown qui faisait la joie de ses parents et des visiteurs, il fait montre, à treize ans, d'une maturité surprenante, sans avoir rien perdu de son charme. Il a été gratifié d'un esprit de créativité incontestable. On lui prédit des brevets d'invention, ce qui n'est pas peu dire. Comme ses aînés, il ne rechigne pas à la besogne.

Étant appelés très jeunes à voir à leurs petites affaires pendant que leurs parents suivent l'évolution de leur entreprise, ils développent un esprit de débrouillardise et une grande autonomie. Les parents savent louer leurs bons résultats et leur insuffler

Le marché Jean-Talon a été créé en 1934, et Wilfrid et par la suite Pierre ont loué leur emplacement à chaque année depuis 1951.

beaucoup d'assurance, sans compter que le fait d'avoir affaire avec le public aide beaucoup à cultiver l'entregent.

Il est encore trop tôt pour savoir si l'un des enfants Gingras prendra un jour la succession des parents. La perspective d'une profession aussi exigeante peut les inquiéter. Toutefois, leur intérêt va croissant et ils sont de plus en plus en mesure d'apprécier, à leur juste valeur, les bienfaits inestimables de la vie dans la belle nature, dans un coin de pays aussi fabuleux.

Les parents de Pierre à l'occasion de leur 50ᵉ anniversaire de mariage

En février 1987, Pierre prend officiellement, au marché Jean-Talon, l'emplacement que son père y a occupé pendant plus de trente-cinq ans. Mais si les parents ont décidé de ralentir leur rythme, ils continueront à épauler leur fils et sa femme dans tous les travaux du verger, surtout durant la moisson. Il faut voir grand-papa, organisant et menant les balades en remorque tirée par un tracteur, pendant qu'avec Angèle, grand-maman s'affaire au magasin, à l'embouteillage du vinaigre et autres travaux connexes.

Le temps de la moisson

Conscient de l'énormité du travail qui l'attend et sûr de ce qu'il veut, Pierre va de l'avant. Pour se remettre des pertes énormes subies, il ne cesse pas de cumuler des responsabilités, s'astreignant à des horaires stupéfiants. Pendant cinq à six ans, il s'octroie un minimum de quelques heures de repos par semaine !

Après plusieurs années de labeur, les affaires commencent à prospérer. En 1989, il reçoit un prix d'Excellence de la Ville de Montréal pour la qualité de ses pommes. À la suite de ce concours, il crée son propre logo : une pomme dans une médaille accrochée à un ruban tricolore.

Et voilà qu'à l'automne de la même année, un grand projet se concrétise avec l'achat d'un pressoir d'occasion : produire, à l'intention de sa clientèle du marché Jean-Talon, un jus de pomme pur à 100 %. L'accueil que réservent les clients à ce véritable nectar est plus que chaleureux et le succès est instantané.

Mais Pierre se fait du souci. Ce jus pur, sans additif, ne se conserve pas longtemps et il est obligé de jeter celui qui n'est pas vendu. Un jour, cependant, l'idée lui vient de transformer cette boisson en vinaigre de cidre. Le voilà propulsé sur la voie d'une nouvelle réalisation.

En l'absence d'une formule, il lui faut chercher, tâtonner, expérimenter, pour redécouvrir le procédé ancestral de fabrication artisanale du vinaigre de cidre. Dans le sous-sol de sa maison centenaire, sans rien dévoiler de ses nouvelles occupations à son entourage, il installe deux barils de chêne et les remplit de jus de pomme brut. Au printemps 1990, les deux barils sont transportés dans un coin isolé de l'entrepôt. Ce premier essai s'avère une perte totale : les égouts sont copieusement nourris !

Au lieu d'amoindrir son ardeur, cet échec ne fait qu'accroître sa détermination. Il achète d'autres tonneaux de chêne, quatorze cette fois !

Quelques mois plus tard, déception ! Il s'aperçoit qu'il a fabriqué du cidre. Il faut tout reprendre à zéro. Pas tout à fait, cependant. L'expérience lui est bénéfique. Il prend conscience qu'il se doit d'acquérir les connaissances qui lui permettront de réaliser son projet.

Se découvrant une ardeur d'autodidacte, il part à la recherche de tout ce qui s'est écrit sur la fabrication artisanale du vinaigre de cidre. C'est ainsi qu'il apprend que, pour faire du vinaigre de cidre, trois éléments sont indispensables : la chaleur, l'oxygène et une *mère vinaigre*. Fort de sa trouvaille, Pierre utilise ces trois éléments suivant un bon dosage et un temps approprié de fermentation, et met au point une formule dont il garde précieusement le secret. Au bout de quelques mois, il achète trente-deux tonneaux de chêne et là débutent une kyrielle de tentatives. De tâtonnements en erreurs, il procède avec patience et persévérance, ne déviant jamais de son idéal d'excellence. Il n'hésite pas à jeter aux rebuts des quantités de liquide qu'il ne trouve pas à son goût.

Préoccupé par la qualité de son produit, il retient les services d'un chimiste pour vérifier le taux d'acide acétique dans son vinaigre. Il analyse les résultats, il raffine ses techniques pour obtenir enfin, de manière artisanale, le parfait vinaigre de cidre auquel il aspire depuis des années. Il s'agit maintenant d'acquérir les meilleurs équipements pour sa fermentation et sa conservation. C'est là qu'il fait appel à un spécialiste avec qui il avait fait connaissance quelques mois plus tôt, Fernando Marques, que nous rencontrerons un peu plus loin.

De si grands efforts ne peuvent demeurer sans récompenses. À l'été 1991, il rénove une partie de son entrepôt pour recevoir 18 cuves de première fermentation dans lesquelles se fait d'abord la fermentation du cidre qui sera, ensuite, mis dans les 48 tonneaux de chêne servant à l'élaboration du produit. Les premières bouteilles se vendent au marché Jean-Talon et au verger même avec un succès qui dépasse toutes les espérances. Il ne reste qu'à planifier la production du précieux liquide.

La bonne nouvelle

La nouvelle s'est vite répandue : une fabrique de vinaigre de cidre artisanal est née ! On commence à venir de partout.

L'étonnement de Pierre Gingras est à son comble lorsqu'il constate que ses clients achètent du vinaigre de cidre non seulement pour la saveur délicate qu'il ajoute à la cuisine, mais également pour ses propriétés curatives. Les aînés se souviennent des remèdes de grand-mère parmi lesquels le vinaigre de cidre occupait une place de choix. Et les témoignages vibrants et quotidiens de sa clientèle grandissante font voir à Pierre que, plus que le défi de réussir, il est désormais motivé par le désir de faire du bien, d'aider les autres. Il devient le plus important producteur québécois de vinaigre de cidre fabriqué de façon artisanale.

Au marché Jean-Talon, on assiste à une prolifération de clients d'origine asiatique dont certains se procurent le vinaigre de Pierre non seulement en vue de bonifier leur alimentation, mais aussi pour en expédier aux membres de leur famille restés en Asie.

En 1993, séduite par son vinaigre de cidre de fabrication entièrement artisanale, l'Association touristique régionale de la Montérégie (ATRM) décerne à notre héros un prix dans la catégorie *innovation touristique* et un deuxième prix pour *petite entreprise touristique.*

Les récompenses, les mentions, les médailles ont leurs échos d'abord dans les journaux régionaux. Les invitations commencent à pleuvoir. On entend Pierre à la radio, on assiste à ses conférences, ses produits sont exposés dans les salons de santé tenus dans plusieurs coins de la province. Il participe à des émissions de télévision portant sur la gastronomie et la santé. Et c'est ainsi qu'en peu de temps, une totale confiance s'installe entre l'artisan et son produit, et le grand public.

Convaincus de la qualité incomparable de son vinaigre de cidre, les professionnels de la médecine douce sont enthousiastes à le recommander de préférence à tout autre.

Angèle et Pierre s'accordent à dire que leur clientèle comprend des personnes qui s'approvisionnent chez eux depuis les débuts de leur entreprise. Quant à la clientèle de passage, elle ne cesse de croître.

La convergence de deux destins

Fernando Marques, Néo-Canadien d'origine portugaise, réside à Laval. Un jour, il a, pour Rougemont, un coup de cœur irrésistible. Selon ses dires – et qui osera le contredire? – la région est une splendeur et les gens qui y vivent sont sympathiques. En 1990, il y achète un verger.

L'œnologie n'a pas de secrets pour Fernando Marques. Parce qu'il est grossiste, il importe tous les équipements servant à la fabrication et à la conservation du vin, de la bière, des produits de la pomme ainsi que du vinaigre. Son atelier abonde en accessoires d'une grande diversité, allant des étiquettes aux fûts, en passant par les bouteilles, la machinerie et autres effets. C'est ce qui l'amène à rencontrer Pierre dans le but de lui vendre ses produits. Ainsi naît une relation d'affaires qui, basée sur une confiance réciproque, ne fera que grandir.

Quand Fernando parle de Pierre Gingras, il insiste sur son intégrité dans la fabrication artisanale du vinaigre de cidre. Il vante également sa grande loyauté et son honnêteté sans faille.

— *Dans le monde des affaires*, de dire Fernando avec son charmant accent portugais, *on ne voit pas toujours des gens comme Pierre Gingras. C'est rare. Avec lui, on n'a pas besoin de papiers. Il suffit qu'il dise une chose et on peut compter sur sa parole. C'est un homme très réservé. Il est difficile de deviner ses sentiments lorsqu'on lui propose une idée nouvelle, car il prend le temps d'y réfléchir. Très méthodique, logique, il expose ses idées de façon claire quelle que soit sa décision. Et toujours avec le sourire. C'est une personne que j'estime au plus haut point. Je lui ai même accordé l'exclusivité d'un genre de bouteilles qui ne sont même pas en exposition ici.*

Lorsque Pierre a confié à Fernando son projet de fabrication artisanale de vinaigre de cidre, il n'a pas eu besoin d'insister longuement pour que ce dernier lui accorde toute sa collaboration. À la demande de Pierre, il a effectué quelques voyages à l'étranger, plus précisément à Cognac, où l'on fabrique, depuis des générations, des fûts, ou foudres, en chêne. Il a aussi visité les grandes vinaigreries françaises, glanant toutes les informations pertinentes à la fabrication du vinaigre. Il conclut que des fabricants de vinaigre qui travaillent comme Pierre Gingras, il n'y en a pas deux ! *En voilà un,* ajoute-t-il, *qui a su résister à un certain mouvement typiquement nord-américain dirigé vers l'obtention de profits rapides.* Car il existe des moyens techniques pour activer le processus de fermentation du vinaigre et accélérer la production. Il suffit d'ajouter, au jus de pomme, de la levure ou du sucre et, au lieu de prendre un an, la fermentation ne requiert qu'un mois. Toutefois, quelle que soit la qualité des barils utilisés, ce procédé détruit une grande partie des propriétés nutritives. Jamais Pierre Gingras n'acceptera de tricher ainsi sur la qualité de la production.

Des témoignages comme celui-ci, on peut en recueillir des quantités.

— Je ne veux pas dévoiler de secrets, mais il y a sûrement quelque chose que Pierre Gingras a trouvé au cours de ses patientes recherches et de ses nombreuses expériences, de compléter Fernando qui remet en question un vieux préjugé selon lequel, pour se conserver, un vinaigre se doit d'être mis dans une bouteille de couleur foncée. C'est un préjugé qui n'a aucune base scientifique. Comme il l'explique, lui qui travaille avec un des plus grands fabricants de bouteilles au monde, dans un pays comme la France où la tradition du vin et du vinaigre est plus que millénaire, s'il s'était avéré que la bouteille transparente fut nocive, il y a belle heurette qu'on n'en fabriquerait plus. Une assertion confirmée par le Centre de recherches de Saint-Gobain, une ville française très célèbre pour la fabrication, entre autres, de bouteilles de vin et de vinaigre.

Une parfaite complémentarité

Depuis qu'Angèle y a investi ses talents multiples, sa créativité, son labeur et une aptitude naturelle à créer avec le public des relations de confiance, la Vinaigrerie artisanale Verger Pierre Gingras est devenue un lieu touristique très fréquenté. De même que les passants, les Rougemontois, ont assisté à la rénovation de bâtiments de ferme joliment transformés en charmantes maisonnettes, où Angèle a créé de petits ateliers dramatiques et éducatifs. C'est là que les visiteurs peuvent tout apprendre sur le miel et les abeilles, comme sur les pommes et leurs produits dérivés. Des dizaines de milliers d'enfants y sont déjà passés et

Angèle et ses célèbres marionnettes

y ont assisté à de petits spectacles tout à fait inédits. Plusieurs garderies et écoles ne manquent pas leur visite annuelle et les élèves comme les professeurs sont ravis de découvrir mille secrets sur la pomiculture et sur l'apiculture.

Angèle a vu à ce que les ateliers soient animés. Il y a la ferme à Pierrot avec ses animaux, une ruche vitrée, des cours d'interprétation de la pomme, des démonstrations pratiques de fabrication de jus de pomme, les rudiments du procédé

de fabrication du vinaigre de cidre, des randonnées en balades motorisées, des aires de pique-nique,

Atelier aménagé autour de l'abeille et du miel

des dégustations, un grand terrain de jeux et, en saison, la cueillette des pommes. Tout a été pensé et prévu afin que les visiteurs se souviennent longtemps de cette incursion dans la nature.

C'est ainsi qu'ensemble, chacun à sa place et suivant ses dons et sa disponibilité, mus par un même désir de réussite dans l'excellence, Pierre et Angèle ont édifié une affaire qui est devenue un des plus beaux fleurons du domaine agroalimentaire.

À toute chose, malheur est bon

Le mois de janvier 1998 est inscrit à jamais dans la mémoire collective des Québécois, principalement des résidants d'une région s'étendant depuis Montréal en longeant les rives du Richelieu pour pousser une pointe importante jusqu'en Estrie. La nature déchaînée ! Le bruit obsédant des morceaux de glace qui tombent dru sur toutes choses. Cent millimètres de verglas qui s'abattent pendant des jours, causant des pannes de courant majeures et chassant les habitants de leur demeure, dans certains cas pour des semaines. L'armée canadienne dans les rues de Montréal et des villages et campagnes environnantes. Oh ! L'angoissante rumeur qui monte de dizaines de milliers d'arbres de toutes essences, parfois centenaires, qui se cassent net à toutes les dix secondes, dont il ne reste parfois que la souche et quelques branches dénudées. Craquements sinistres des plus troublants.

On peut deviner l'effet sur les arbres fruitiers. Dans la région baignée par le Richelieu, la tempête a été dévastatrice. Pendant des jours, des semaines, la vie s'est arrêtée. C'est dans les centres communautaires que les victimes de ce désastre se réunissent, en quête de chaleur, de réconfort et de denrées alimentaires.

Si elle est destructrice à plusieurs égards et pour une majorité de producteurs, cette tempête de verglas s'avère une période de réflexion pour certains, de remise en question pour d'autres, et, dans certains cas, de grande créativité. C'est précisément pendant ces jours-là, alors qu'au Centre communautaire de

LE VINAIGRE DE CIDRE ARTISANAL

Rougemont Fernando et Pierre absorbent un bon café chaud tout en devisant de pommes, de jus, de vinaigre de cidre et d'affaires, que naît le projet de construire un immense bâtiment pour la fabrication du vinaigre de cidre, une vinaigrerie qui serait la plus grande pour le meilleur vinaigre de cidre au monde. Une décision audacieuse qui ne nécessitera que quelques mois pour prendre forme, tant sont grands la ténacité et le dynamisme de Pierre Gingras.

L'apothéose

L'inauguration de la nouvelle Vinaigrerie artisanale Verger Pierre Gingras, aux dimensions colossales, dont on dit qu'elle est la plus grande de la planète à l'heure actuelle, a eu lieu le 30 mai 1999. Je m'en souviens. Il faisait un soleil radieux. Une brise, chargée des parfums de la terre qui se réveille après le long sommeil hivernal, caressait les choses et les êtres. Dans un paysage bucolique d'une exquise beauté, les conversations allaient bon train et la bonne humeur était de circonstance. À en juger par le nombre et la qualité des invités, la réputation du maître-vinaigrier l'avait précédé. S'y rencontraient en effet tout ce que la belle province peut compter de personnalités

Bâtiment de 7 000 pi² dont les murs intérieurs sont recouverts de nylon.

politiques, d'hommes d'affaires, de spécialistes de la santé, les édiles municipaux, le clergé local, sans oublier la parenté et les amis.

Le ruban fut coupé par le député du comté et ce fut Georges-Wilfrid, le papa de Pierre, qui eut l'honneur d'actionner la chaîne retenant la porte qui s'ouvrit devant les invités. Ce fut un moment bien émouvant.

Aucune des personnes présentes n'a voulu manquer cette occasion de pénétrer dans la nouvelle vinaigrerie puisqu'elles avaient été prévenues que c'était une chance unique de le faire. Dorénavant, en effet, l'entrée en sera interdite, mais afin de ne pas décevoir les visiteurs, Pierre Gingras a prévu toute une section en verre au travers duquel on pourra à loisir observer l'endroit.

Impressionné tant par sa superficie, 7 000 pi^2, que par l'étrangeté de son intérieur tout de nylon et d'acier inoxydable, avec des murs d'un blanc immaculé et un éclairage étudié, le visiteur ne peut manquer de ressentir un authentique respect. Effet du mariage de la technologie traditionnelle avec la technologie moderne, le système de chauffage *radiant* est logé dans le plancher. L'équipement est insurpassable en qualité. Importés de Cognac, 36 foudres de chêne, de sept pieds et demi de hauteur et d'une capacité de 5 000 litres chacun, dans lesquels fermente le précieux liquide, dégagent des parfums jusque-là inconnus.

On prévoit qu'à compter du printemps de l'an 2000, la production passera de cent mille litres à un million. Mais ce résultat ne représente pas un plafond, loin de là. Au cours d'un voyage d'affaires de trois semaines à Taiwan et au Japon, Pierre Gingras a pu constater que, là-bas, les gens sont bien au courant des bienfaits du vinaigre puisque la consommation de vinaigre de riz fait partie de leurs traditions. Les persuader d'essayer son vinaigre de cidre ne présenta aucun problème, car, petite différence, grand effet, le vinaigre de cidre de pommes a un goût délicat alors que celui provenant du riz est beaucoup plus amer.

Dans les pays asiatiques, l'intérêt pour son produit, qui est impatiemment attendu, est immense. C'est probablement au cours du mois de janvier de l'an 2000 que l'on assistera à la signature d'ententes commerciales dans cette affaire.

L'homme derrière le personnage

Il est certain qu'il y a toujours plusieurs facettes à un être et qu'il est impérieux de tenter de les voir toutes pour le bien connaître. Considérons donc la personne derrière l'artisan et son œuvre. Regardons-le, ce parfait gentilhomme, époux et père, amateur de musique, homme d'affaires accompli, philanthrope, qui trouve toujours moyen de venir en aide aux œuvres humanitaires. C'est un homme de réflexion, courageux, déterminé, c'est un modèle de persévérance et, parce qu'il est un homme de réflexion et qu'il est persévérant, il est têtu. S'il est convaincu d'avoir raison à propos de quoi que ce soit, il s'obstine, et bonne chance à qui tente de lui faire changer d'idée.

Bonne renommée vaut mieux que ceinture dorée. Cette sentence est devenue un cliché, mais elle est toujours à propos lorsqu'on se prononce sur une personne comme Pierre Gingras. C'est un être d'une grande valeur morale, exceptionnel à plusieurs

Les foudres servant à la production du vinaigre de cidre

points de vue. De dire de lui quelqu'un qui le connaît intimement [...] *C'est quelque chose qui lui appartient, la générosité. Sensible, loyal, il a beaucoup de respect pour la parole donnée. Il va dire à quelqu'un: «Ta signature c'est bien, mais ta parole équivaut à ta signature.» Son vinaigre de cidre fait du bien aux gens. Or, c'est comme ça avec lui, ça fait partie de sa générosité de faire du bien aux gens. C'est sa principale motivation. Lorsqu'il apprend que ses clients ont eu de bons résultats avec son vinaigre, il est heureux.*

Ses plus grandes qualités sont la passion qu'il met dans son travail, son intégrité en tout, son génie créatif, sa ponctualité, sa ténacité, sa bonté naturelle et, par-dessus tout, une loyauté inébranlable. Son respect de l'environnement et de la nature n'a d'égal que celui qu'il porte à autrui. Sa popularité allant toujours croissant, il lui arrive parfois d'avoir à subir l'envie de certaines personnes. Il ne rend pas les coups. Lui, ne connaît pas l'envie. Au lieu de prendre ombrage du succès d'autres talentueux entrepreneurs qui foisonnent autour de lui, il n'hésite pas à faire leur éloge lorsque l'occasion s'en présente.

Sa générosité est devenue légendaire. Combien d'œuvres de bienfaisance viennent sonner chez les Gingras! Conscients que leurs lourdes responsabilités leur laissent peu de temps et d'énergie pour y participer activement autant qu'ils le voudraient, les Gingras compensent habituellement par des dons matériels. Cependant, pour la paralysie cérébrale, une œuvre qui lui tient particulièrement à cœur, Pierre n'hésitera pas à participer à un quilleton d'une durée de quelques dizaines d'heures.

Élu, en 1992, à la présidence de la Chambre de Commerce de Rougemont, son implication a été totale. Prêt à changer des choses, à faire évoluer avec lui sa ville, ses concitoyens, ses collègues, Pierre a axé la vocation de l'organisme davantage sur le tourisme. Faire connaître Rougemont devint son leitmotiv. Avec la connivence de tous les intervenants touristiques, ce magnifique coin de pays attire de plus en plus de visiteurs.

Enfin, la belle famille Gingras apprend à découper, dans des horaires très chargés, des moments de détente qu'elle consacre à des activités récréatives, dont le golf. Quant à Pierre, il s'accorde occasionnellement des moments de relâche. Il adore la marche, la chasse à l'arc et la pêche, sports bien faits pour lui procurer le calme et la paix dont il a toujours un grand besoin. Je lui demandais un jour comment se passaient ces parties de chasse ou de pêche. Sa réponse ne m'a aucunement surprise. Il part seul et son comportement est toujours en parfait accord avec la nature, qu'il aime tant. C'est ainsi qu'il réussit à se ressourcer complètement.

Une belle histoire d'amour

Chaque jour amène sa cohorte de citadins assoiffés de grand air, ou de voyageurs attirés par la beauté du site, aînés, adolescents et enfants, clients aussi, cuisiniers et cuisinières, personnes souffrant de douleurs arthritiques, de mauvaise digestion ou d'un taux élevé de cholestérol. Parmi ces derniers, qui ont trouvé un soulagement dans le vinaigre de cidre de pommes artisanal Pierre Gingras, certains viennent depuis le début.

Angèle est parfaitement consciente qu'il y a un prix à payer pour un aussi grand succès : les heures de travail et la diversité des tâches vont grandir. Mais dès que le produit aura eu une diffusion adéquate à l'extérieur du milieu, ils envisagent un certain allègement des tâches coutumières avec l'embauche d'un plus grand nombre d'employés.

La Vinaigrerie artisanale Verger Pierre Gingras, c'est, somme toute, une histoire d'amour. Amour d'un couple, amour d'une famille, amour de la terre, amour de la nature et de ses dons généreux, amour du défi à vaincre, amour du travail bien accompli, amour tout court.

CHAPITRE VII

Les aliments fermentés

Au cours de ma pratique privée, de mes nombreuses conférences et des émissions radiophoniques que j'ai animées à titre de naturopathe, j'ai toujours prôné les aliments fermentés aux personnes qui avaient décidé de prendre leur santé en main.

Pendant des années, j'ai vanté les mérites du vinaigre de cidre de pommes artisanal et j'ai vu des gens améliorer leur santé de façon remarquable. Je veux profiter de ce livre pour informer les lecteurs du bien-fondé de mes enseignements. Dans les faits, je puis dire que c'est cette passion que j'ai et pour les aliments fermentés et pour le vinaigre de cidre de pommes artisanal qui m'a amenée au maître-vinaigrier Pierre Gingras.

Ah! oui, la question brûle vos lèvres : pourquoi accorder une telle importance aux aliments fermentés?

Parce que la fermentation des aliments, c'est, à mon avis, un miracle! Très peu d'aliments contiennent autant de valeur nutritive, d'enzymes et de bonnes bactéries. C'est ce qu'on appelle, dans le jargon naturopathique, *manger des aliments vivants*. Ce sont des aliments remplis de vie! Des aliments qui nous nourrissent, qui nous construisent et qui nous donnent du vrai carburant. Et pour toutes ces raisons, j'ai toujours recommandé d'inclure des aliments fermentés dans la diète quotidienne. C'est tellement facile : boire durant la journée un mélange de vinaigre de cidre de pommes et d'eau ; ajouter, à un repas, des légumes lacto-fermentés, comme de la choucroute, qui est du chou fermenté ; prendre un apéritif fait d'herbier de kumbucha (boisson d'herbes fermentées) ; assaisonner votre riz avec de la sauce tamari (soja fermenté) et quoi encore !

À mon avis, manger sainement signifie s'entourer d'*amis alimentaires,* c'est-à-dire rajouter quotidiennement des aliments ou des boissons fermentés à sa diète.

Mais commençons par le début. La conservation des aliments a, de tout temps, posé un problème à l'homme et il doit sans doute au hasard, puis à ses observations, d'avoir pu mettre au point certaines méthodes de conservation qui sont toujours en usage. Partant d'une première expérience et une expérience s'ajoutant à l'autre, nos ancêtres se firent observateurs pour finalement découvrir que la fermentation, c'était, en définitive, *la* façon de conserver leurs aliments. Sans l'intervention de la chaleur ou du froid, sans l'ajout d'agents de conservation, ils apprirent à conserver intactes fraîcheur et vitamines. De là à maîtriser la fermentation, il n'y eut qu'un pas.

Dans toutes les parties du monde, les peuples ont appris la fermentation et ses bienfaits sur la santé, et leurs recettes constituent un patrimoine d'une grande richesse qui semble malheureusement en voie de disparition.

Par le livre que vous tenez entre les mains, je veux vous faire découvrir le miracle de la fermentation des aliments.

Qu'est-ce qu'un aliment fermenté ?

Pour commencer, une touche de sémantique. Ayant observé que des gaz carboniques se dégageaient durant la fabrication de la bière et du vin, donnant l'impression que le liquide bouillait, les Anciens ont donc utilisé le mot *bouillir* – en latin *fervere* – d'où nous vient le mot *fermentation.*

La fermentation est la transformation chimique de certains composés organiques sous l'influence d'enzymes produites par des micro-organismes. Un aliment fermenté est donc totalement modifié dans sa texture et sa composition, et rendu plus digestible.

Différentes sortes de fermentations	
Fermentation lactique	Fermentation alcoolique
Fermentation propionique	Fermentation butyrique
Fermentation acétique	

Fermentation lactique

Vu les avantages qu'elle présente, il est surprenant qu'elle ne soit pas la plus connue. En fait, c'est une des plus utiles à la santé. Je dirais même que c'est la reine ! Elle se forme à partir de l'amidon des céréales, du saccharose, du lactose du lait et du fructose des fruits et des légumes.

Voici quelques exemples de fermentation lactique :

CÉRÉALES

Pain au levain : fabriqué à partir d'un grain complet, ce pain est non raffiné et sans levure. Celui-ci fermente naturellement et durant une longue période. Cette méthode de fermentation permet à l'organisme d'absorber les minéraux de la farine entière. Sa texture dense vous incite à mieux le mastiquer et son goût acide à stimuler la salivation. Ce pain est très facile à digérer, nutritif et savoureux, il se conserve pendant quinze jours au minimum.

Le seitan : il est fabriqué à partir du gluten du blé qui est très riche en protéines. On l'appelle la *viande végétale* à cause de sa texture ferme et élastique. Il est un substitut idéal dans un menu végétarien.

LÉGUMINEUSES

Shoyu et tamari : sauce soja

Miso : mélange de soja et d'une céréale que l'on fermente ensemble, de quelques semaines à trois ans, pour obtenir une pâte. Le miso rehausse, grâce à sa saveur et à sa valeur nutritive, les bouillons, les soupes et la plupart des recettes à base de céréales.

Tempeh : soja fermenté, excellent pour les carences en protéines et très riche également en vitamine B_{12}. Facile à digérer. Sa texture consistante en fait un plat principal, un substitut idéal à la viande.

Idli : riz et légumineuses fermentés. Très riche en vitamines B_1, B_2 et niacine.

LÉGUMES LACTO-FERMENTÉS

Choucroute : chou fermenté.

Plusieurs autres légumes : carotte, betteraves, navet, etc., peuvent être lacto-fermentés, constituant un superbe condiment qui accompagne tous vos repas. On peut aussi boire le jus de ces légumes lacto-fermentés, un pur délice que votre appareil digestif accueillera avec bonheur.

FRUITS FERMENTÉS

Olives, prunes uméboshis, jus d'agave fermenté.

LAITS FERMENTÉS

Lait caillé, yaourt, fromage, kéfir, dahi, raïb.

POISSONS FERMENTÉS

Nuoc-mâm, anchois, harengs.

Comme son nom le suggère, l'acide lactique se rapporte au lait. Cet acide est essentiel au métabolisme cellulaire. Le sang en contient normalement 0,10 g par litre. Il se forme dans les cellules des muscles par la décomposition du glucose et du glycogène. C'est l'acide lactique *musculaire*.

L'acide lactique *alimentaire* se retrouve dans le lait aigri, mais il peut aussi se produire par la fermentation lactique que subissent divers sucres et notamment le lactose ou sucre du lait. L'acide lactique, qui provient des aliments fermentés, a de nombreuses propriétés bénéfiques produites par des bactéries dites lactiques qui transforment les glucides, notamment pour les diarrhées. L'acide lactique joue aussi un rôle important dans la flore vaginale et dans la contraction musculaire, plus particulièrement du muscle cardiaque. C'est à l'acide lactique que le kéfir et la choucroute doivent leur saveur caractéristique.

Fermentation alcoolique

C'est évidemment la plus connue. Par la fermentation alcoolique, le sucre du fruit ou de la céréale se transforme en alcool et en gaz carbonique sous l'action de la levure ou, dans certains cas, de champignons.

Qui n'apprécie pas le bon vin (raisins), la bière et le saké (céréales) et toutes ces boissons qui ajoutent aux plaisirs de la vie et parfois même aident à la santé? À titre d'exemple, il est connu que, consommé avec modération, le vin fait baisser le taux de cholestérol dans le sang et réduit radicalement le risque de crises cardiaques. Toutefois, au-delà d'une certaine quantité, il a un effet tout à fait contraire.

CÉRÉALES

Bière, saké – vin de riz.

FRUITS

Vin, cidre.

MIEL

Hydromel.

Fermentation propionique

Cette fermentation se fait en fromagerie, notamment pour les fromages à pâte affinée et cuite.

Fermentation butyrique

Celle-ci est indésirable puisque, durant son développement, elle perturbe le bon affinage des fromages lesquels deviennent impropres à la consommation.

Fermentation acétique

Voilà celle qui nous intéresse plus particulièrement, celle que j'appelle le *bijou* de la fermentation, car c'est de l'or pour la santé.

Cette fermentation est produite par des bactéries acétiques. Elle est précédée par la fermentation alcoolique. Pour citer un exemple simple, par elle, le cidre devient vinaigre de cidre, puisqu'elle transforme l'alcool en acide acétique, le vin devient vinaigre de vin, etc. On retrouve donc le vinaigre de vin, le vinaigre de riz et, bien évidemment, le vinaigre de cidre.

Un chapitre est consacré à l'intérêt nutritif de l'acide acétique et à la miraculeuse mère vinaigre dont la couleur évoque le scintillement d'un diamant.

Sous le microscope... une armée d'ouvrières : les bactéries...

Les bactéries sont des micro-organismes à une seule cellule, trop petits pour être visibles sans instruments. Si petits soient-ils, cependant, chacun de ces micro-organismes est, en soi, une micro-usine biochimique extrêmement perfectionnée. Ils ont la particularité de pouvoir sécréter des ferments, ou enzymes, sans lesquels de nombreuses réactions chimiques ne pourraient avoir lieu. Ils jouent un rôle prépondérant dans toutes les fermentations lactiques.

Il existe plusieurs milliards d'espèces de bactéries. Certaines sont bénéfiques, d'autres sont nuisibles. Heureusement, les bactéries *amies*, celles qui sont nécessaires à l'homme, sont infiniment plus nombreuses que les espèces *pathogènes* dites mauvaises et connues sous le nom de microbes. Les bactéries sont en perpétuelle activité dans notre organisme.

...les levures et les moisissures

Les champignons microscopiques jouent un rôle aussi important que les bactéries, sauf qu'ils ont une utilité différente. On en compte deux groupes : les levures et les moisissures.

Les *levures* sont des champignons unicellulaires qui se multiplient par bourgeonnement. Ils interviennent dans de nombreuses fermentations alcooliques, par exemple dans la fabrication de la bière et du vin, mais aussi dans la fabrication du pain.

Les *moisissures* sont aussi des champignons dont certains sont toxiques et d'autres bénéfiques. Par exemple, ceux qui se forment sur du pain laissé sur le comptoir ou dans des confitures mal scellées sont toxiques. D'autres, les *pénicilliums*, se forment sur certains fromages. Ce sont eux qui donnent au roquefort et au camembert leur goût si particulier.

Les enzymes, clef de la fermentation et... de notre santé

Sans vouloir prêter des intentions aux agents naturels – car ils n'en ont pas – j'oserais affirmer que les enzymes méritent une appréciation exceptionnelle. C'est pourquoi je saisis cette occasion pour leur octroyer une **mention d'honneur** pour le travail opiniâtre qu'elles accomplissent pour nous depuis que le monde est monde.

Mais qu'est-ce qu'une enzyme? Une substance protéinique qui facilite et augmente une réaction biochimique, qui, en fait, agit comme bio-catalyseur et préside à la plupart des réactions chimiques. Elles n'en font pas partie parce qu'elles ne sont pas altérées elles-mêmes par la réaction. Toutefois, elles la rendent possible.

Il existe un nombre incalculable d'enzymes spécifiques qui jouent un rôle essentiel dans les processus physiologiques de tous les organismes vivants. Il en existe des milliards qui travaillent dans notre corps, dans la nature, bref, dans tout ce qui est vivant.

En résumé, aucune vie n'est possible sans catalyseurs. Or les protéines que forment les cellules sont justement des catalyseurs de réactions biologiques. Ces protéines, ce sont les *enzymes* ou *ferments* ou, selon le terme vieilli, *diastases*, ces trois mots étant synonymes.

Nous naissons avec un capital enzymatique immense et puissant qui diminue avec l'âge. Pour le maintenir à un niveau souhaitable, et, par conséquent, pour épargner nos organes, il est nécessaire d'absorber régulièrement des aliments riches en enzymes. Donc, si vous entendez que tel aliment est riche en enzymes, comprenez qu'il est plein de vie! Faites-en votre choix et incluez-le dans votre menu.

Toute fermentation est le résultat de ces grandes travailleuses qui, par la suite, vont être utiles à notre santé. Prenons le vinaigre de cidre de pommes artisanal, riche en protéase – c'est le nom de l'ouvrière qui a la tâche de digérer les protéines.

Si vous mangez de la viande et si vous prenez le soin d'arroser votre salade généreusement de vinaigre de cidre artisanal, votre digestion s'opérera plus adéquatement, car vous aurez alors l'équipe d'ouvrières nécessaires à la digestion.

Les avantages de la fermentation

LES LÉGUMES FERMENTÉS perdent de leur dureté, car leurs fibres sont prédigérées.

LES PROTÉINES sont dissociées, du moins partiellement, en acides aminés et deviennent plus facilement assimilables par l'organisme.

CERTAINS SUCRES non assimilables, souvent responsables des flatulences, sont transformés en sucres simples.

LES ALIMENTS FERMENTÉS sont très digestibles, riches en vitamines et régénérateurs de la flore intestinale.

CERTAINES SUBSTANCES TOXIQUES, provenant des céréales, des légumineuses ou des tubercules, stoppent l'action des sucs digestifs ou encore perturbent l'assimilation des minéraux (par exemple, l'acide phytique contenu dans les légumineuses en est un grand coupable). Encore là, la fermentation s'avère la solution au problème.

LA FERMENTATION FAIT UNE PRÉDIGESTION POUR NOUS. Par exemple, une partie de l'amidon se décompose en maltose et en glucose, ce qui donne un goût légèrement sucré aux aliments, facilitant ainsi leur digestion. Un autre exemple des plus frappants : la fermentation du lait le rend plus assimilable pour les personnes intolérantes au lactose, parce qu'il est transformé en partie en acide lactique. Il en va de même pour les protéines – puisqu'elles libèrent les acides aminés qui les constituent (donc, une partie de la digestion est faite par la fermentation) – et pour les lipides dont elle libère les acides gras essentiels qui les constituent : ils deviennent partiellement hydrolysés.

Chose assez étonnante ! LA FERMENTATION DÉCOMPOSE LES SUBSTANCES ANTINUTRITIVES contenues dans le soja, lesquelles sont responsables des flatulences provoquées par les légumineuses.

La fermentation DÉCOMPOSE UNE FORTE PROPORTION DE CHOLES-TÉROL ALIMENTAIRE et assure ainsi la protection du système sanguin.

LES FERMENTATIONS ENRICHISSENT les aliments en vitamines et autres nutriments. Par exemple, la teneur en vitamine C d'un végétal décroît très rapidement dès qu'il est cueilli. En fermentant, son taux de vitamine C est multiplié par deux. Nous assistons au même phénomène en ce qui concerne les vitamines du groupe B sauf que, dans ce cas, après fermentation, les analyses révèlent que la teneur en cette précieuse vitamine est multipliée par 30! Quel phénomène!

Il a été démontré que les bactéries pathogènes sont rendues inactives et sont même anéanties après fermentation. Parce que l'acidification des aliments fermentés stoppe le développement des micro-organismes pathogènes, la fermentation diminue les risques de propagation de maladies infectieuses. Qui plus est, la fermentation produit des substances antibactériennes ou antibiotiques. Par exemple, le tempeh, qui est du soja fermenté, a une activité antibactérienne très nette, entre autres en ce qui a trait au *staphylocoque doré*. Des tests ont aussi prouvé qu'un saucisson qui renfermait initialement de la salmonelle, n'en contenait plus après fermentation. Voilà qui devrait nous inciter à consommer des aliments fermentés régulièrement.

Les vertus médicinales des aliments fermentés

Toutes les écoles d'alimentation saine préconisent et enseignent les bienfaits, reconnus à travers le monde, des aliments fermentés.

En Russie, le *kvas* ou *kwas*, boisson fermentée de seigle, était jadis conseillé dans les cas de fièvre, de refroidissement, de scorbut.

Le *kéfir*, sorte de lait fermenté, était utilisé pour soigner les entérites, et parfois la tuberculose.

Le *koumis*, lait de jument fermenté, est considéré comme un aliment très riche en nutriments, mais il est aussi utilisé comme un véritable médicament pour soigner la tuberculose.

La *choucroute*, mets composé de chou fermenté qui renferme une flore lactique vivace, protégée et dynamisée par la fermentation. Cette merveilleuse salade élimine les liquides et les gaz perturbateurs, renforce le système nerveux et favorise la circulation du sang. C'est ce qui explique qu'en Europe, au XIXe siècle, les médecins la prescrivaient déjà contre de nombreuses maladies : engorgement du foie et de la rate, hémorroïdes, constipation, troubles nerveux. Cette choucroute doit être *crue*, non cuite, si l'on veut bénéficier de tous ses bienfaits.

En Allemagne et en Pologne, le jus de *choucroute* et le jus de *concombre fermenté* sont toujours utilisés pour le traitement des entérites.

Le *yaourt* ou *yogourt*, que l'on dit originaire de Bulgarie, n'est pas autre chose que du lait caillé par un ferment spécial. Il est utilisé depuis longtemps partout dans le monde pour ses vertus bénéfiques, particulièrement pour rétablir la flore intestinale, et n'a rien perdu de sa popularité. De nos jours, on produit des yaourts de manière industrielle en leur ajoutant beaucoup de sucre. C'est regrettable. Il faut prendre soin de choisir un yaourt de qualité ou le faire soi-même.

Le *dahi*, voisin du yaourt, stimule l'appétit, augmente la vitalité et est particulièrement recommandé pour les désordres intestinaux.

En Afrique du nord, c'est le *rayeb* que l'on boit. Il est surtout consommé l'été, vu les chaleurs qui favorisent la fermentation du lait. Chaque famille le confectionne et c'est la nourriture principale des paysans. Il est généralement consommé avec le couscous.

En Inde, l'*idli*, riz et légumes fermentés, est recommandé pour les enfants et les personnes affaiblies.

Au Mexique, le *pozol* sert à combattre les diarrhées et il est utilisé en cataplasmes sur les plaies. Lorsque mélangé à de l'eau et du miel, il fait baisser la fièvre.

Le *pulque*, boisson fermentée héritée des Aztèques et faite avec le jus de l'agave, est utilisé pour traiter les infections rénales et pour stimuler la lactation.

Au Nigéria, l'*ogie*, maïs lacto-fermenté, est donné aux bébés, aux malades et aux convalescents. Il a la propriété de stimuler la lactation.

En Grèce et en Turquie, le *tarhanas*, mélange de blé et de lait fermenté, est consommé en grande quantité par les femmes qui allaitent, les enfants au moment du sevrage, les malades et les vieillards.

Le vinaigre de cidre artisanal était fabriqué par les fermiers qui en connaissaient les bienfaits. À l'époque, il était déjà recommandé par les médecins de campagne pour soigner les maux de gorge, la fatigue, l'arthrite, et était aussi utilisé comme désinfectant.

Nos grands-mères s'en servaient pour toutes sortes d'occasions. Elles désinfectaient autant leur maison que les plaies des enfants. Elles en absorbaient aussi, sachant que cette eau de vie contenait bien des petits secrets de santé. Ce vinaigre était considéré comme une panacée pour ses propriétés antibiotiques et reminéralisantes. En Europe, il constituait l'un des fondements de la médecine antique. N'était-il pas la seule protection contre la propagation des terribles épidémies de peste?

Les vertus gastronomiques des aliments fermentés

Les aliments fermentés ont des saveurs subtiles et variées. Les petites bactéries qu'ils contiennent font un travail de maître; elles sont aussi, si l'on veut employer une métaphore, des cuisinières de grand talent.

Prenons les fromages. Ils comptent parmi les chefs-d'œuvre les plus réussis de la création microbienne. Ils ne sont, après tout, qu'un banal caillé que les bactéries transforment en un succulent roquefort.

Ces bactéries transforment aussi un soja terne, sans goût, en miso, tempeh ou shoyu qui aromatisent les plats. Quant à la choucroute, il faut convenir que son goût est bien supérieur à celui du chou non fermenté.

Il n'est pas un seul aliment fermenté qui, lorsqu'il est préparé correctement, ne donne au palais un cadeau de sa saveur, ne projette les papilles gustatives sur la voie de la découverte de nouveaux parfums. Laissons-nous charmer par ces nouveaux aliments, ces nouvelles boissons si riches en éléments nutritifs et en enzymes tellement bénéfiques à la santé.

A-t-il raison cet auteur qui a qualifié de «fast food» intelligent les aliments fermentés? Naturellement! Non seulement ajoutent-ils du piquant à des repas fades, mais ils apportent de la couleur à une assiette terne. Bien plus! Ils nourrissent de leurs précieuses vitamines, suscitant une abondance d'enzymes: ces ouvrières qui seront prêtes à digérer les repas les plus plantureux.

Et pour tuer un préjugé qui a cours, OUI! des aliments fermentés ça goûte bon! Et c'est si pratique! Pour nous en tenir aux légumes, par exemple, si vous décidez de relever la saveur de votre repas, vous n'avez qu'à ouvrir un pot ou un sachet de légumes fermentés. On peut en trouver à tous les comptoirs d'aliments naturels.

La science moderne a confirmé *l'intérêt nutritif* de ces enzymes. Il a été démontré que les aliments fermentés sont plus nutritifs. On a aussi fait la preuve qu'ils sont plus facilement assimilables que la matière première dont ils sont issus. Cela s'explique, et nous l'avons démontré au cours de notre essai, par le fait que l'amidon et les protéines sont partiellement prédigérés par la fermentation. Aussi parce que les micro-organismes participent à la synthétisation des nutriments, des vitamines, plus précisément.

Pris quotidiennement, les aliments et les boissons qui ont été soumis à une fermentation lactique et acétique protègent et entretiennent la vie. Ce sont des aliments biogéniques, des aliments vivants! Comme ce merveilleux vinaigre de cidre de pommes artisanal qui est là, prêt à vous soigner, à vous nourrir de sa *mère* et à prévenir bien des maladies.

Capital et intérêts

Nous sommes ce que nous mangeons, dit le cliché. Je dirais que nous devrions plutôt manger *en respectant ce que nous sommes.* Nous nous construisons à partir non de ce que nous mangeons, mais de ce que nous assimilons, de ce que nous digérons.

Si nous planifions notre retraite d'après notre capital accumulé, nous pouvons et nous devrions faire de même en ce qui concerne notre santé: accumuler un capital santé au fil des années, en posant de petits gestes quotidiens, pour nous assurer santé et longévité.

CHAPITRE VIII

Beauté, bien-être, libido

Le vinaigre de cidre a fait ses preuves, tant dans l'entretien de la maison que dans l'alimentation. Que pourrait-il donc nous apporter au niveau des soins cosmétiques? Des tas de solutions insoupçonnées!

Les soins capillaires

PSORIASIS

Pour traiter le psoriasis localisé au cuir chevelu, le vinaigre de cidre peut donner des résultats stupéfiants. Il suffit, trois à quatre fois par semaine, de masser le cuir chevelu avec du vinaigre de cidre artisanal non dilué et de mettre un casque de douche pendant quinze minutes. Puis, on rince parfaitement. Ne pas s'inquiéter si on ressent quelques picotements.

PELLICULES

Le vinaigre dissout les dépôts calcaires et, par la même occasion, élimine les micro-organismes responsables des pellicules, qui donnent un air si négligé à une personne par ailleurs très propre.

POUX

Autrefois, il y avait de véritables épidémies de poux et le vinaigre s'avérait un excellent exterminateur. C'est heureux, car il faut convenir qu'encore aujourd'hui, des enfants reviennent de l'école avec des poux.

CONDITIONNEUR

Depuis des millénaires, les femmes ont apprivoisé le vinaigre pour soigner leur chevelure. Elles en ont appris beaucoup depuis, entre autres, qu'à cette fin, il ne faut pas utiliser le vinaigre de cuisine, mais un vinaigre de cidre. En ce qui me concerne, je l'utilise comme conditionneur pour avoir des cheveux lustrés, doux et souples.

Ma recette pour *elle* et *lui* : Avant le shampoing, verser 60 ml (¼ de tasse) de vinaigre de cidre non dilué sur les cheveux et bien masser le cuir chevelu. Garder cette solution pendant qu'on fait sa toilette. Puis, procéder à son shampoing habituel suivi d'un bon rinçage.

Un autre excellent usage qu'on peut faire du vinaigre de cidre pour les soins capillaires, à la portée de toutes les bourses, consiste à boire, chaque matin, un verre d'eau additionnée de vinaigre de cidre de pommes artisanal. Après deux ou trois mois de ce traitement qui ralentit la chute des cheveux, on remarque que ses cheveux sont plus épais.

LE VINAIGRE DE BRILLANCE

Qu'est-ce? On en parle depuis quelque temps, en effet. C'est une création d'un célèbre coiffeur parisien qui vient d'ajouter, à sa collection de produits capillaires, cet assouplisseur à base de vinaigre de cidre et de romarin.

CHEVEUX PERMANENTÉS

Si votre permanente a laissé vos cheveux exagérément frisés, les rinçages à l'eau vinaigrée résoudront votre problème. Attention toutefois : si votre permanente est bien réussie, utilisez les rinçages vinaigrés avec modération sous peine de voir vos boucles se défaire. Je conseille même d'utiliser une solution extrêmement faible.

Vous pourriez aussi recourir à un masque capillaire vinaigré avant de laver vos cheveux.

Pour conclure avec les soins capillaires, voici une bonne petite *recette!*

Masque capillaire

> *Eau*
> *Vinaigre de cidre*
> *Argile verte*

Avec ces trois ingrédients, faites une belle pâte épaisse, recouvrez-en le fond de la tête, puis le reste des cheveux, et laissez travailler quinze minutes. Rincez généreusement pour enlever tous les résidus du traitement, lavez avec un shampoing doux et rincez de nouveau avec de l'eau légèrement vinaigrée – au vinaigre de cidre de pommes, bien entendu.

Les hommes y trouvent leur compte

C'est certain! Pour les soins capillaires, d'abord, et aussi pour remplacer leur lotion après-rasage. Il leur suffit d'ajouter les aromates de leur choix à une solution additionnée de vinaigre de cidre de pommes.

Les soins de la peau

Le pH du vinaigre, aux vertus astringentes, est très semblable à celui de la peau, ce qui en fait un produit de beauté efficace et peu coûteux.

Il est excellent pour les peaux grasses et à problèmes. Contre l'acné juvénile bénigne ou tout autre espèce de boutons, il prévient l'apparition des comédons.

De plus, en resserrant les pores, il contribue au ralentissement du vieillissement de la peau par son action antioxydante.

Une autre qualité du vinaigre de cidre, c'est d'effacer toute trace de savon, et d'annuler tous résidus de calcaire et de chlore contenus dans l'eau et qui laissent des sensations désagréables de tiraillement ou de picotement. Il suffit de verser de l'eau tiède dans le lavabo et d'y ajouter une cuillerée à café ou deux de vinaigre de cidre parfumé au goût.

Pour atténuer les symptômes du psoriasis, je recommande le vinaigre de cidre tel qu'il est indiqué dans le chapitre consacré à la santé car, au risque de me répéter, il est bénéfique pris quotidiennement dilué dans de l'eau.

Le vinaigre peut se comparer avantageusement à toutes les crèmes ou les masques raffermissants dits *minute*, dont le coût est exorbitant. Il s'agit de l'utiliser exactement comme un de ces produits, selon le mode d'emploi suivant : sur une peau parfaitement nettoyée, appliquer son vinaigre de toilette favori non dilué et étendre son maquillage aussitôt.

Belle de la tête au bout des ongles

Il peut arriver que vos mains soient excessivement sales, surtout si vous avez travaillé dans le jardin, manipulé de la terre, ou utilisé des produits salissants. Faites-vous une pâte à récurer avec de la farine de maïs et du vinaigre de cidre, et massez-en vos mains et vos doigts.

Comme pour les cheveux qui s'en trouvent fortifiés, l'absorption d'une ration quotidienne de vinaigre de cidre de pommes artisanal donne des ongles robustes. Cependant, pour obtenir des résultats, il faut poursuivre le traitement pendant au moins deux à trois mois. Si vous utilisez du vernis à ongles, sachez qu'il sera plus adhérent si, avant de l'appliquer, vous tamponnez chaque ongle avec du vinaigre de cidre non dilué.

Bien soigner ses pieds

C'est essentiel ! Une femme a beau être bien coiffée, maquillée avec soin, élégamment habillée, si ses pieds la font souffrir, son visage et son allure générale en souffriront. Il ne faut jamais oublier que les pieds nous portent partout, tout le temps. Conséquemment, ce n'est que justice que d'en prendre le plus grand soin, et c'est si facile avec le vinaigre de cidre.

Pour rafraîchir et soulager les pieds, et pour améliorer la circulation sanguine, il faut les tremper dans un bain d'eau additionnée de vinaigre de cidre, tout en effectuant de légères rotations des chevilles.

Si vos pieds sont sujets à une sudation excessive, ayez recours à des bains de pieds faits d'eau vinaigrée et salée. Un verre de vinaigre de cidre aromatisé et une petite poignée de sel de mer, dans une cuvette d'eau tiède ou chaude, vous feront le plus grand bien.

Brosses et éponges

Par exemple, tout en les désinfectant, il facilitera le nettoyage de vos brosses à cheveux et à dents, si vous avez la bonne idée de les faire tremper quelques minutes dans de l'eau vinaigrée. Adieu, eau de javel ! Récupérez toutes les petites éponges qui vous servent pour l'entretien de votre peau et votre maquillage, lavez-les bien avec de l'eau chaude et du savon, et plongez-les dans un litre (4 tasses) d'eau vinaigrée. Une bonne nuit de trempage vous les rendra parfaitement stérilisées.

Toutes et tous peuvent confectionner leurs vinaigres de toilette à partir d'un excellent vinaigre de cidre, dilué avec de l'eau et aromatisé avec des plantes ou des essences de fleurs. Voici deux recettes qui peuvent très bien compléter votre gamme de produits de beauté.

Crème hydratante

45 ml (3 c. à table) d'huile d'olive
45 ml (3 c. à table) d'huile de germe de blé
45 ml (3 c. à table) d'huile de tournesol
45 ml (3 c. à table) de vinaigre de cidre
4 jaunes d'œufs
Les ingrédients doivent être à la température ambiante

Mélanger les huiles, battre les jaunes d'œufs, et ajouter doucement les huiles, en remuant. Incorporer le vinaigre de cidre et remuer. Mettre ensuite dans un petit pot et conserver au réfrigérateur.

Utiliser cette crème pour hydrater votre peau.

Masque calmant pour peaux sensibles

60 ml (4 c. à table) de farine d'avoine
15 ml (1 c. à table) de vinaigre de cidre
45 ml (3 c. à table) d'eau

Diluer le vinaigre dans l'eau, puis mélanger avec la farine, de façon à obtenir une pâte épaisse (ajouter un peu de farine si nécessaire).

Appliquer uniformément sur le visage et garder jusqu'à ce que le tout soit bien sec. Laver alors le visage à l'eau tiède. Rincer avec sa recette préférée de vinaigre de cidre.

Libido, sexe et vinaigre de cidre

Nous vivons à l'époque de l'aphrodisiaque et de l'assistance chimique au plaisir sexuel. On n'a qu'à regarder les boutiques de sexe, qui font des affaires d'or, et à considérer l'engouement pour le Viagra, cette pilule bleue qui *ferait reculer* les années. Le vinaigre aussi a joui (!) d'une certaine réputation dans le domaine, quoique pas toujours la même.

Le vinaigre a-t-il des propriétés aphrodisiaques? Oui, selon un médecin grec qui vécut il y a dix-neuf siècles, qui recommandait toutefois qu'il soit parfumé à la menthe. Même opinion chez les médecins chinois traditionnels, qui penchent plutôt du côté du clou de girofle. On peut soupçonner que les épices associées au vinaigre aient joué le rôle de premier plan.

Curieusement, la réputation du vinaigre a longtemps été tout autre... celle d'un *calmant* de l'appétit sexuel. Il n'est pas certain qu'un tel produit ferait fureur à notre époque, mais... *autres temps, autres mœurs*.

Je me dois, avant de passer à autre chose, de mentionner le *vinaigre de pucelle*. La jeune mariée dont le passé était presque irréprochable l'utilisait pour sa qualité astringente, en espérant que le resserrement des tissus intimes ferait croire, à son nouveau légitime, qu'il s'aventurait en terre vierge. Étaient dupes, sans doute, ceux qui voulaient l'être!

CHAPITRE IX

Miscellanées

Voici, pêle-mêle,
quelques utilisations intéressantes
du vinaigre de cidre de pommes artisanal.

Comment tester la qualité du calcium que vous achetez

Il y a un bon moyen de vérifier si le calcium que vous avez acheté est facilement assimilable, et c'est le vinaigre de cidre de pommes artisanal qui va, une fois de plus, manifester ses pouvoirs diversifiés.

Mettez trois onces de vinaigre de cidre dans un verre et déposez-y un comprimé de calcium. Remuez toutes les cinq minutes. Si, au bout de trente minutes, votre comprimé ne s'est pas désagrégé, vous pouvez être certain que ce calcium irritera votre estomac. Allez-y donc pour un calcium qui se désagrégera après trois minutes seulement. Ce serait une bonne idée d'acheter le plus petit format, et de faire des essais jusqu'à ce que vous ayez trouvé le bon calcium pour vous !

Sportifs

Êtes-vous de ceux qui fréquentent régulièrement les centres de conditionnement physique ? J'ai pour vous un excellent moyen d'intensifier les bons effets de votre séance de musculation ou cardio-vasculaire.

Juste avant le début de vos exercices, prenez un verre d'eau additionnée de 15 ml (1 c. à table) de vinaigre de cidre de pommes. On le sait, le vinaigre de cidre de pommes contient une bonne dose de potassium, qui fournit l'énergie nécessaire pour résister aux efforts intensifs déployés au cours des exercices physiques. Personnellement, je n'y manque jamais. Au lieu d'acheter une eau en bouteille pour me désaltérer pendant ma séance d'entraînement, je pousse l'audace jusqu'à apporter ma propre bouteille d'eau vinaigrée – ce qui lui donne une couleur inquiétante, suffisamment inquiétante, en tout cas, pour que personne ne soit tenté de la piquer...

Les éleveurs

On répète que, dans le but d'offrir une viande plus tendre, de nombreux éleveurs faisaient boire du vinaigre de cidre à leurs animaux avant de les abattre – vaches, poules, agneaux.

Des éleveurs de vaches laitières vous diront qu'un peu de vinaigre de cidre dans l'eau qu'ils donnent à leur troupeau augmente la production de lait. Ils l'utilisent même pour traiter la mammite (ou mastite), inflammation de la glande mammaire, fréquente chez l'animal.

Il en va de même pour les éleveurs de chevaux qui se réjouissent du bienfait du vinaigre de cidre pour l'arthrite de leurs animaux.

Comme désinfectant, le vinaigre dilué dans de l'eau est souvent utilisé lors du nettoyage de certaines pièces d'équipement ou pour les cages d'animaux. C'est un merveilleux produit écologique qui protège nos animaux et l'environnement.

À la pêche, à la chasse, à la campagne

Jadis utilisé comme chasse-moustiques, le vinaigre de cidre chasse effectivement les insectes et les parasites. *On n'attrape pas les mouches avec du vinaigre,* dit le dicton. C'est assez bien fondé. Les gens qui veulent éviter d'être incommodés quand ils vont à la campagne, à la chasse ou à la pêche, se frottent partout avec du vinaigre, ce qui décourage les moustiques. Apparemment, c'est ainsi qu'au cours de certaines épidémies comme la peste, certains ont évité la contagion par le bacille responsable. En plus d'en mettre sur leur corps, ils le respiraient et ils en buvaient.

Cueillette des vers à pêche

Le vinaigre de cidre fait sortir de terre les vers, que les pêcheurs recherchent avec tant d'espoir avant de partir pour leurs excursions. Aller à la pêche sans cette denrée, précieuse pour le poisson convoité, rend très incertaine une pêche que l'on espère fructueuse.

La teigne

Pour soigner la teigne chez les animaux avec du vinaigre de cidre, consulter son vétérinaire.

CHAPITRE X

Secrets de cuisine

Quand vos amis vous demanderont pourquoi
votre salade de chou ou votre céleri-rave ne s'oxydent pas
et que la coquille de vos œufs durs ne se brise pas,
vous pourrez avec fierté partager vos secrets...
de chef!

Que de petits miracles journaliers peuvent être attribués au vinaigre de cidre, même lorsqu'utilisé en infime quantité!

Fruits et légumes

Il y a des légumes qui ont tendance à noircir, comme la pomme de terre, le chou-fleur, le céleri-rave, etc. Il est aussi des fruits qui supportent mal le contact de l'air et qui, lorsqu'épluchés, développent des taches brunes ou noires, comme les pommes et les bananes.

L'acide acétique contenu dans le vinaigre de cidre a pour effet de stopper l'action des enzymes responsables du brunissement des aliments. Il suffit donc, pour garder à ces aliments leur belle apparence, de les passer dans une eau additionnée de vinaigre de cidre. Ils conserveront leur blancheur.

Dans le cas du chou rouge, on déplore souvent sa décoloration lorsqu'on le passe à l'eau du robinet. Élément très alcalin, le calcaire présent dans l'eau transforme tout simplement un chou rouge en chou bleu. Par contre, si on a la bonne idée d'y ajouter un peu de vinaigre de cidre, l'acide en question – le pH – sera équilibré et votre chou rouge gardera sa belle couleur. Un autre bienfait du vinaigre de cidre sur les légumes, c'est qu'il s'attaque à la cellulose des légumes, composant essentiel des fibres alimentaires. Donc, si vous faites tremper vos légumes dans une eau additionnée de vinaigre de cidre – surtout pour les personnes qui ont des problèmes de mastication dus à l'âge ou à une dentition problématique – les légumes se trouveront attendris. Il en est de même pour les aliments secs, les légumineuses, qui seront beaucoup plus digestibles parce que plus tendres.

Juste avant de procéder à leur cuisson, baignez les poissons ou crustacés dans un bain d'eau et de vinaigre de cidre, pour éviter qu'ils ne se décolorent.

Viandes et poissons

Certaines parties de viandes et certains poissons coriaces gagnent à être marinés. Une marinade au vinaigre de cidre attendrit considérablement les viandes et ramollit les fibres musculaires.

Important : en faisant mariner les viandes, les poissons, les volailles, et en baignant les légumes et les légumineuses dans une eau additionnée de vinaigre de cidre – on le verra plus longuement dans la partie consacrée aux recettes – on détruit du même coup tous les microbes, tous les parasites susceptibles de causer un empoisonnement. Je vous certifie que quand vous mangez une salade dont tous les légumes ont été lavés avec de l'eau additionnée de vinaigre de cidre, vous vous sentez en si totale sécurité, que cela ajoute au plaisir de la dégustation. C'est un bon truc naturel, un beau secret de santé.

Pour que vos poissons pochés soient tendres et fermes, ajoutez quelques gouttes de vinaigre de cidre à l'eau de cuisson.

Œufs

Le même conseil s'avère encore plus utile pour les œufs pochés. En effet, le vinaigre de cidre permet au blanc d'œuf de coaguler rapidement et de manière très harmonieuse, et évite qu'il ne s'effiloche dans l'eau bouillante.

Pour réussir vos blancs d'œufs en neige, quelques gouttes avant de les battre garantissent une neige homogène et ferme. Cela s'explique par le fait que l'acide acétique du vinaigre favorise la coagulation des protéines du blanc d'œuf.

Pour la même raison, il faut ajouter un peu de vinaigre à votre eau de cuisson quand vous faites cuire un œuf dont la coquille est fêlée.

Pâtes

Si vous voulez obtenir une pâte feuilletée qui ne soit pas collante, essayez un peu de vinaigre de cidre. Attention toutefois aux excès de sel, dont l'action contrecarre celle du vinaigre.

Sauces

Pour mettre une touche inédite à une ratatouille, à un ragoût ou à d'autres plats cuisinés en casserole, ajoutez-leur un filet de vinaigre de cidre en fin de cuisson.

Votre sauce béarnaise a-t-elle tourné? À moins que ce ne soit votre hollandaise? Essayez de la passer au mélangeur avec une petite cuillerée à soupe de vinaigre, pendant à peine quelques secondes. Ça ne réussit pas toujours, mais quand ça réussit, oh! là! là!

S'il est admis qu'une bonne sauce rehausse un bon plat, elle ne possède pas nécessairement une valeur nutritive souhaitable. Pour augmenter la valeur nutritive des sauces, il suffit de déglacer le fond de la poêle ou de la casserole avec quelques gouttes de vinaigre de cidre.

Désinfectant

Je n'insisterai jamais trop en affirmant que le vinaigre de cidre est un puissant désinfectant. Si nos grand-mères nettoyaient leur maison avec ce liquide, elles ne se privaient pas d'en avaler quelques gorgées, d'abord pour se désaltérer, mais aussi parce qu'elles connaissaient ses vertus thérapeutiques.

Parasites

Voici un autre usage extrêmement intéressant pour ceux et celles qui cuisinent. Lorsqu'ils cueillent des fruits sauvages ou quand ils achètent des fruits en magasin, ils doivent les laver avec une bonne eau vinaigrée pour en chasser tout insecte ou parasite qui auraient pu s'y cacher. Ainsi – si l'on veut aller plus loin – quand ils confectionnent une tarte aux fruits ou tout autre dessert, ils peuvent être certains de ne pas manger les parasites. Il faut toutefois faire attention de ne pas les tremper, car certaines baies, comme les framboises, les fraises et les mûres, sont très fragiles.

On connaît des légumes, comme le chou-fleur, le brocoli, les épinards, qui contiennent des petits vers qui seront chassés si, avant la cuisson, vous les faites tremper dans du gros sel et du vinaigre en finissant par un bon rinçage.

Les conserves

Le vinaigre de cidre de pommes est un excellent agent de conservation, que ce soit pour les végétaux comme les câpres, les petits oignons, les cornichons, l'ail, ou les fines herbes fraîches, les marinades et les chutneys.

CHAPITRE XI

Usages domestiques

À cause de ses vertus antiseptiques,
le vinaigre de cidre est très efficace tant
pour le nettoyage que pour la stérilisation.
Si vous saviez avec quelle joie
je vais partager mes trucs avec vous!

Commençons dans la cuisine

Si nous aimons bien LAVER LA PLANCHE À PAIN, qui a servi à découper de la viande ou à préparer toute espèce d'aliment, avec un peu d'eau savonneuse, le fait de la rincer avec une eau vinaigrée garantit une parfaite stérilisation. D'ailleurs, toutes les surfaces de travail dans la cuisine devraient être nettoyées avec du vinaigre de cidre pour éviter les moisissures.

Il est souvent déconseillé d'utiliser des produits trop abrasifs pour NETTOYER LE FOUR À MICRO-ONDES. Versez donc tout simplement un peu de vinaigre dans un litre d'eau et nettoyez. Certaines personnes ont eu du succès en utilisant la recette suivante: 60 ml (¼ de tasse) de vinaigre de cidre dans 250 ml (1 tasse) d'eau que l'on met à bouillir cinq minutes dans le micro-ondes. Il ne reste plus qu'à l'assécher.

Le poisson cuit au micro-ondes laisse-t-il des RELENTS DÉSAGRÉABLES dans la maison? La vaisselle utilisée ne sent-elle que le poisson? Vous pouvez faire disparaître ces odeurs indésirables de la même manière. Dans un chaudron, versez de l'eau et du vinaigre de cidre, faites bouillir et, en peu de temps, votre maison sera délicatement parfumée. On peut ajouter des herbes aromatiques à cette eau vinaigrée. Le vinaigre de cidre : un excellent désodorisant !

En résumé, quand les odeurs de cuisine subsistent et se propagent dans toute la maison, pensez au vinaigre de cidre. C'est magique.

SI UN METS A COLLÉ AU FOND DE VOTRE CASSEROLE, mettez-y un peu de vinaigre de cidre et du gros sel et laissez tremper toute une nuit sans faire chauffer. Au matin, lavez-la et vous serez surpris du résultat.

Grâce à l'acide acétique dans le vinaigre, on peut aussi décaper les casseroles noircies en y faisant bouillir un mélange de vinaigre et de gros sel. Pour une plus grande efficacité, ajoutez une poignée d'épinards, parce que les épinards sont riches en acide oxalique, dont l'action corrosive va se combiner avec celle du vinaigre.

Le vinaigre dissout les graisses

Pour l'entretien de LA CAFETIÈRE ÉLECTRIQUE, je recommande d'y verser de l'eau vinaigrée et de la faire fonctionner. En bouillant, ce mélange va chasser l'odeur âcre que prend le café vieilli. Une fois le cycle terminé, rincez abondamment à l'eau claire, afin d'enlever tout goût de vinaigre. Faites cela une fois par mois.

On oublie souvent un appareil ménager devenu familier, dont on se passerait bien difficilement : LE LAVE-VAISSELLE, qui souffre énormément des dépôts calcaires laissés par l'eau du robinet. Il suffit de verser, dans le fond, 15 ml (1 c. à table) de vinaigre de cidre, puis de lancer le cycle de remplissage et de lavage. Le résultat est formidable.

Il ne faudrait pas oublier LE GARDE-MANGER. Périodiquement, faites-lui un bon petit nettoyage avec une solution d'eau et de vinaigre de cidre.

Faites partir LES TACHES DE CAFÉ OU DE THÉ sur vos tasses à l'aide d'un linge trempé dans un mélange de vinaigre et de gros sel.

Certaines personnes lavent leur vaisselle à la main, selon la bonne vieille méthode, et utilisent un double évier : d'un côté, l'eau savonneuse et, de l'autre, l'eau claire. Le fait de mettre du vinaigre de cidre dans cette eau de rinçage va éviter LES MARQUES DE CALCAIRE, particulièrement sur les verres.

LA POUBELLE devrait être nettoyée et désinfectée une fois par semaine avec du vinaigre de cidre dilué dans de l'eau, à l'intérieur comme à l'extérieur.

Vous avez décidé de faire un bon grand ménage ? Vous avez des enfants et vous voulez désinfecter LES CARRELAGES, LES PARQUETS DE BOIS, LES LINOLÉUMS ? Mettez 75 ml (5 c. à table) de vinaigre de cidre dans votre chaudière d'eau, avec un peu de savon modérément fort, et passez partout. Vous serez rassurée en sachant que vos enfants peuvent jouer par terre sans danger de contamination. La plupart des objets et des jouets peuvent profiter d'un traitement à l'eau vinaigrée.

Pour désinfecter LES JOUETS, particulièrement dans les garderies où s'activent un grand nombre d'enfants, l'emploi de la solution eau-vinaigre de cidre, dans les proportions suivantes, va laisser dans les pièces une senteur très bactéricide : 60 ml (2 c. à table) de vinaigre par litre d'eau.

Si, après les avoir lavées, vous décidez de repeindre les pièces de votre appartement, laissez-y donc un grand bol d'eau additionnée de vinaigre de cidre afin de dissiper LES ODEURS GÊNANTES.

Ne dépensez plus pour des polisseurs à meubles qui coûtent cher. En plus d'être économique, le mélange suivant rendra LE POLISSAGE plus facile. Mélangez 60 ml (¼ de tasse) d'huile de graine de lin, 30 ml (⅛ de tasse) de vinaigre de cidre, et 30 ml (⅛ de tasse) de whisky – alcool. Apparemment, la poussière disparaît à mesure que l'alcool s'évapore.

Les désodorisants de source industrielle pour l'intérieur sont coûteux, quand il serait tellement plus économique de PARFUMER VOTRE MAISON avec la recette suivante : dans un humidificateur, mettez 60 ml (¼ de tasse) de vinaigre et 2 ml (½ c. à thé) de cannelle.

ET LA LESSIVE ? Il en est des couleurs des tissus comme de celles des légumes et des fruits auxquels le vinaigre de cidre conserve couleur et fraîcheur. Il paraît qu'afin de mordancer, c'est-à-dire fixer les belles couleurs qui les caractérisaient sur leurs tissus fraîchement teints, les anciens Égyptiens les rinçaient avec du vinaigre. Ce procédé est encore utilisé, car il arrive parfois que des vêtements de couleur *déteignent*.

Souvent, un vêtement que nous aimons sort un peu fané du lavage. Il a perdu sa fraîcheur à cause de l'eau de lessive qui contient du calcaire. On y revient toujours : le calcaire est alcalin. Si on veut rendre l'eau de lessive plus acide, il faut utiliser le vinaigre de cidre. Je suggère les mesures suivantes : ½ verre de vinaigre de cidre pour 5 litres (1 gallon) d'eau. Laissez tremper votre linge dans cette eau cinq à dix minutes, rincez à l'eau claire et pure, et le tour est joué.

J'ai personnellement expérimenté, avec des résultats probants, les rinçages au vinaigre et à l'eau très froide, pour raviver ou conserver les couleurs du linge de maison ou des vêtements un peu ternis, de même que pour le blanc. Car le vinaigre agit aussi comme adoucisseur de tissu.

À cause précisément de cette propriété qu'il possède d'adoucir l'eau, ajoutez 15 ml (1 c. à table) de vinaigre à l'eau de rinçage, et vos bas et bas-culottes conserveront leur éclat et seront faciles à enfiler.

Toujours dans le domaine de la lessive, il y a des secteurs où l'on trouve plus de calcaire qu'ailleurs. Cela présente parfois de gros problèmes, que l'on peut résoudre en ajoutant une cuillerée de vinaigre de cidre dans le petit compartiment de la laveuse réservé aux assouplissants. Vinaigre de cidre versus les assouplissants industriels, quelle économie, n'est-ce pas? Sans compter que vous allez, du même coup, préserver votre laveuse. Il n'est pas superflu de penser aussi à protéger les bébés et les tout-petits contre les additifs industriels si nocifs et allergisants.

Si vous craignez que le linge garde une petite odeur aigre, ajoutez tout simplement un aromate à votre mélange d'eau et de vinaigre de cidre. La lavande, par exemple, ou une autre, selon votre goût et votre personnalité.

Les vêtements neufs contiennent des produits chimiques et dégagent parfois une senteur déplaisante. Pour neutraliser ces produits et doter vos vêtements d'une fraîche senteur, il est recommandé de les laver avec de l'eau vinaigrée avant de les porter.

Un bon rinçage à l'eau vinaigrée prévient la formation d'électricité statique et de charpie.

Je ne l'ai pas vérifié personnellement, mais j'ai entendu dire que des taches apparues à la suite d'un lavage peuvent disparaître, après un trempage dans une solution moitié eau et moitié vinaigre.

Les jeunes – et les moins jeunes – achètent de plus en plus des vêtements d'occasion. Il est nécessaire de laver tout ça dans la lessiveuse, dans laquelle on aura versé un peu de vinaigre de cidre. En plus d'agir comme désinfectant, l'eau vinaigrée laisse un agréable parfum de fraîcheur.

Si des aliments ont collé à un vêtement, ils peuvent être enlevés plus facilement si on a la bonne idée de laisser tremper le vêtement dans 500 ml (2 tasses) d'eau mélangée avec 125 ml (½ tasse) de vinaigre de cidre. Le trempage terminé, lavez le vêtement dans la lessiveuse.

Lorsque mélangé à l'eau, le vinaigre de cidre de pommes est également très efficace dans L'ENTRETIEN DES OBJETS MÉTALLIQUES: argent, cuivre, bronze, étain. Préparez une solution de trois cuillerées à soupe de vinaigre de cidre pour chaque litre d'eau, appliquez avec une vieille brosse à dents et frottez. Vous pouvez aussi mélanger le vinaigre avec un petit peu de crème de tartre et en faire une bonne pâte. Vous vous retrouverez avec un bel objet bien propre.

Quelle maîtresse de maison ne souhaite pas d'avoir DES VITRES IMPECCABLES ? Voici une recette infaillible même pour des vitres très sales. Lavez-les d'abord avec une eau savonneuse, rincez abondamment avec une eau vinaigrée et essuyez. Un demi-verre de vinaigre de cidre par litre d'eau tiède sera suffisant pour voir vos vitres briller de nouveau et retrouver la fierté. Psitt !... N'oubliez pas les vitres de la douche !

Ce serait une excellente idée de préparer votre propre lave-vitres. Un litre (4 tasses) d'eau à laquelle vous ajoutez 125 ml (½ tasse) de vinaigre et c'est tout ! Versez dans de petites bouteilles dotées d'un vaporisateur.

Pour vos lunettes, un peu d'eau vinaigrée fera sans doute l'affaire.

Et le petit poisson rouge, lui ? Allez-vous l'oublier ? Quand il est si facile de redonner de l'éclat à son joli bocal. Il suffit de frotter le sel qui s'est formé tout autour à l'aide d'un linge trempé dans du vinaigre, après quoi il faut rincer parfaitement le petit aquarium et le remplir à nouveau avec une bonne eau claire.

Sur DES TACHES D'ENCRE, du vinaigre de cidre non dilué peut agir parfaitement. Dans le cas contraire, je suggère un petit truc. Faites dissoudre du savon de Marseille dans du vinaigre et vous pourrez enlever les taches d'herbe et les taches d'encre bleue. Quant aux taches causées par la transpiration, elles vont disparaître si vous les tamponnez d'eau vinaigrée avant de laver le vêtement taché.

Il arrive souvent que notre toutou préféré laisse DES TACHES SUR NOS TAPIS. Il suffit de tamponner ces taches avec du vinaigre de cidre et de frotter. Les tapis retrouveront leur couleur et seront désinfectés.

Si vous apercevez UN CHEWING GUM COLLÉ SUR UN TAPIS ou sur un divan, ne vous en faites pas trop. Je vous certifie que le fait de tapoter le chewing gum avec du vinaigre de cidre non dilué va durcir le produit, qui se décollera aisément.

Par l'acide acétique qu'il contient, le vinaigre de cidre joue un rôle très important dans la maison au niveau du DÉTARTRAGE. Il s'attaque avec énergie aux dépôts calcaires, qui se forment particulièrement dans le fer à repasser, dans les robinets, dans l'humidificateur, dans la bouilloire, etc. Or, partout où il y a des dépôts calcaires, une fois par semaine, mettez-en, laissez agir dix minutes, puis rincez à l'eau. En ce qui a trait au fer à repasser, préparez un mélange d'eau et de vinaigre – 1 partie de vinaigre pour 3 parties d'eau – remplissez-en la cavité qui reçoit l'eau, réglez le fer au cycle *vapeur* (steam) et laissez la solution s'évaporer à travers les orifices.

Le vinaigre de cidre dilué dans de l'eau redonne du brillant aux TUILES DE LA DOUCHE que l'excès de savon et le calcaire ont rendues mates.

Nota bene : Ici, une sérieuse mise en garde s'impose. Il ne faut *jamais* utiliser de vinaigre sur les baignoires, les lavabos, les éviers, en *fonte émaillée*. Le vinaigre ternit l'émail et l'amincit.

Si vous voulez voir resplendir votre robinetterie en CHROME, alors là, allez-y sans crainte. Il suffit de mélanger 160 ml (⅔ de tasse) d'eau et 80 ml (⅓ de tasse) de vinaigre et de frotter.

Le même conseil s'applique aux automobilistes qui veulent voir briller leur voiture !

CHAPITRE XII

Ses vertus...

Que vous soyez en bonne santé ou
que vous cherchiez à l'atteindre, que vous luttiez
contre les petits «bobos» de tous les jours ou
contre des maladies plus sérieuses,
vous avez tout intérêt à lire ce qui suit.

Toute personne a le pouvoir et le devoir d'entretenir une bonne santé. Au premier rang des soins nécessaires, je place, bien évidemment, la prévention. L'ajout du vinaigre de cidre, fabriqué de façon artisanale, est un élément préventif de premier ordre.

Une saine alimentation ; un programme d'activités physiques bien dosées, comme la marche, la natation, le vélo ; des repas complets et nutritifs ; des périodes de repos convenables ; ce sont tous d'excellents moyens de protéger son organisme contre toutes sortes d'affections.

Toutefois, si, nonobstant ces précautions, vous souffrez de ceci ou de cela, vous avez intérêt à lire ce qui suit avec attention, à en glaner ce qui vous convient et à le mettre en pratique, gardant toujours présent à la mémoire que, pour des cas spécifiques, il est essentiel de consulter son médecin.

Afin de permettre au lecteur de s'y retrouver facilement dans la nomenclature de certains problèmes de santé qui pourraient trouver soit une solution, soit un soulagement, par le vinaigre de cidre fait de façon artisanale, j'ai procédé par ordre alphabétique.

Anémie

Dans une goutte de sang, on trouve plus de 20 millions de globules rouges. Imaginez le nombre total que contiennent les cinq litres de sang d'un être humain. Les globules rouges sont très riches en hémoglobine. Très avide d'oxygène, l'hémoglobine est une substance protéinique qui est jointe à un composé coloré contenant du fer. La quantité de globules rouges varie suivant les individus et les circonstances. Elle augmente à haute altitude et pendant le processus de la digestion.

Lorsque la quantité de globules rouges diminue, le taux d'hémoglobine suit la même pente et on parle d'anémie. Il y a les petites anémies, que l'on rencontre souvent pendant la convalescence de diverses maladies infectieuses, et les anémies prononcées, toujours sérieuses et qui peuvent être un signe avant-coureur d'une maladie grave. Celles-là nécessitent un traitement médical très énergique.

Il est toujours quelque peu risqué de vouloir se traiter soi-même. C'est pourquoi je vous invite si souvent, au cours de mon essai, à consulter un médecin ou un spécialiste, et encore plus s'il s'agit du sang ou de la circulation sanguine.

S'il a diagnostiqué une petite anémie, il se peut que votre médecin encourage l'absorption quotidienne d'eau additionnée de vinaigre de cidre de pommes artisanal, qui augmentera le nombre de vos globules rouges et ainsi luttera contre l'anémie.

À titre préventif, la même recette contribuera à maintenir un bon taux d'hémoglobine.

Anticoagulant

À l'instar de la médecine ancienne, la médecine moderne manifeste un grand intérêt pour le vinaigre de cidre de pommes, et l'usage qu'elle en fait est surprenant. Par exemple, l'épaississement du sang étant à l'origine de nombreux malaises ou troubles de santé plus ou moins graves, je vous conseille le vinaigre de cidre dont une des nombreuses propriétés est de fluidifier le sang.

D'autre part, reconnaissant ses propriétés antihémorragiques, certains patients en attente d'une intervention chirurgicale prennent du vinaigre de cidre comme traitement préventif afin de réduire les risques d'hémorragie.

On peut conclure que, malgré l'apparent paradoxe, le vinaigre de cidre de pommes peut, suivant la préparation et la posologie utilisées, favoriser la fluidification ou la coagulation.

Pourquoi ne pas faire confiance et faire entrer le vinaigre de cidre – de pommes et artisanal en particulier – dans votre diète quotidienne ? Vous préviendrez ainsi les saignements de toutes sortes : hémorroïdaires, liés aux menstruations ou provenant de blessures, etc. Un autre cas où il est très efficace : les saignements de nez des enfants. Le fait d'appliquer un tampon imbibé de vinaigre sur le nez de l'enfant constitue un excellent remède.

Par ailleurs, pour venir à bout d'une hémorragie par blessure et assurer une bonne cicatrisation, appliquez un tampon imbibé de vinaigre non dilué sur la plaie elle-même.

Commentaire : le lait, les œufs, le fromage, la viande, le poisson, la volaille et les autres aliments riches en protéines épaississent le sang, tandis que le vinaigre de cidre le *fluidifie*. C'est pourquoi un principe fondamental de nutrition veut qu'on serve *un aliment acide* avec *un aliment alcalin*. Un verre d'eau à laquelle on a ajouté 15 ml (1 c. à table) de vinaigre de cidre de pommes, pris quatre fois par jour, c'est-à-dire avant les repas et au coucher, est à recommander.

Anti-infectieux

L'histoire fait état de fléaux qui ont décimé des populations un peu partout dans le monde et que l'on connaît sous le vocable de peste. C'est une maladie infectieuse, fébrile, très grave, extrêmement contagieuse – toujours épidémique – qui est apparue sporadiquement principalement en Égypte, en Asie mineure, dans certaines régions d'Extrême-Orient, et aussi en Europe. Il y a plusieurs formes de peste. Au milieu du XVIe siècle, on eut à lutter contre la *peste noire*, une forme bubonique qui s'abattit sur l'Europe.

Dans les temps modernes, les épidémies de peste les plus connues sont celles de Nimègue au milieu du XVIIe siècle, de Londres, quelque trente ans plus tard, de Marseille en 1720, de Moscou en 1771. Il y en eut d'autres, mais je m'en tiendrai à celles-là puisque mon propos est, avant tout, de parler des propriétés antiseptiques et bactéricides du vinaigre. Car, la question se pose tout naturellement, qu'y avait-il, avant la pénicilline et les antibiotiques, pour lutter contre de telles pandémies ?

Or, et on peut le relever dans les écrits de l'époque, le vinaigre fut vite utilisé, avec une certaine efficacité, comme mesure préventive et pour traiter les fièvres malignes et contagieuses. On raconte qu'au XVIIIe siècle, dans plusieurs lieux d'Europe, les cimetières autour des églises étant surpeuplés, on dut les déménager avec l'obligation d'exhumer les corps. Pour supprimer les émanations pestilentielles qui résultaient de cette activité, et aussi pour désinfecter les églises, on utilisa copieusement le vinaigre, pur ou parfumé au benjoin – qui est une substance aromatique et résineuse utilisée en parfumerie et en médecine. Les exemples se multiplient. Au cours d'épidémies, les médecins et les apothicaires, comme on désignait les pharmaciens de l'époque, recommandaient de boire, chaque matin, à jeun, une demi-cuillerée de vinaigre parfumé.

À certaines époques, lorsque sévissait une épidémie, on utilisait des condamnés comme fossoyeurs et la plupart d'entre eux étaient contaminés et mouraient en quelques jours. Ayant ouï de ce fait, quatre voleurs condamnés à la prison à qui l'on avait ordonné cette tâche difficile, eurent la bonne idée de se protéger en mettant, autour de leur visage, un linge imbibé de cette solution. On dit qu'ils résistèrent plus longtemps à la contagion. Je vous livre ici leur recette!!!

Vinaigre des quatre voleurs

30 g (1 oz) de menthe
30 g (1 oz) de sauge
30 g (1 oz) de romarin
30 g (1 oz) d'absinthe
4 g (⅛ oz) d'ail
4 g (⅛ oz) de cannelle
4 g (⅛ oz) de muscade
4 g (⅛ oz) de clou de girofle
8 g (¼ oz) de camphre
4 L (16 tasses) de vinaigre de cidre de pommes

Mettre tous les aromates dans le vinaigre de cidre. Laisser reposer pendant trois semaines et filtrer. Ajouter au liquide filtré les 8 g de camphre. Laisser reposer quatre jours et filtrer. Garder couvert.

Mode d'emploi

Frotter le corps avec cette solution après un refroidissement. Tremper des bas dans ce vinaigre et en chausser les pieds lors d'un excès de fièvre. Faire des massages de jambes lors de névralgies. Frotter un enfant souffrant de bronchite. Mettre dans l'humidificateur pour purifier l'air.

Ce vinaigre thérapeutique devrait toujours faire partie d'une pharmacie de base bien conçue.

On se servait aussi du vinaigre de cidre pour nettoyer les fruits et les légumes et pour assaisonner les viandes ; avec l'usage et la propagation du produit, on assista à une prolifération de recettes prétendument meilleures les unes que les autres. On en vint à élaborer des vinaigres aromatiques – comme le vinaigre à la rue (plante herbacée vivace de la famille des rutacées) – qui, petit à petit, furent soit améliorés, soit carrément supplantés par des compositions plus complexes.

Au carrefour des XXe et XXIe siècles, nous avons la chance inouïe d'avoir, à notre portée, un vinaigre extraordinaire, dont la matière première est elle-même extraordinaire : le vinaigre de cidre de pommes *artisanal*, qu'on peut utiliser pur, ou parfumé avec des herbes aromatiques, que l'on fait soi-même.

Antiseptique et bactéricide

Pour poursuivre avec les bienfaits du vinaigre de cidre de pommes artisanal, voici de multiples circonstances où il peut s'avérer d'un grand secours.

DOULEURS DENTAIRES

Quoi faire lorsque, la nuit venue, les cliniques dentaires étant fermées, l'on est torturé par un mal de dents ? Essayez le bain de bouche antiseptique suivant : mélangez du vinaigre de cidre de pommes avec une égale quantité d'eau, et mettez le mélange à bouillir avec du clou de girofle. Après l'avoir fait tiédir, rincez-en bien votre bouche.

Vinaigre de cidre et de clou de girofle

> 125 ml (½ tasse) d'eau
> 125 ml (½ tasse) de vinaigre de cidre
> 5 clous de girofle

Faire bouillir les ingrédients. Refroidir le mélange.
Étant donné que ce vinaigre n'est pas destiné ●▶

à la digestion, on peut faire bouillir tous les ingrédients sans crainte.

Mode d'emploi

Rincer la bouche ou se gargariser.

MAUX DE GORGE

L'acide et les enzymes, contenus dans le vinaigre de cidre de pommes non dilué, sont de puissants germicides contre toutes sortes d'infections de la gorge. Utilisée comme gargarisme, la potion suivante vous soulagera.

Mélangez 30 ml (2 c. à table) d'eau tiède avec 15 ml (1 c. à table) de vinaigre de cidre de pommes artisanal. Avec cette potion, procédez à trois gargarismes successifs, et après chacun, n'ayez pas peur d'avaler la potion qui atteindra ainsi non seulement le larynx, mais aussi le pharynx. Et si vous vous sentez plus hardi, utilisez du vinaigre non dilué ou à peine dilué. C'est encore plus efficace.

Selon la sévérité de votre infection, l'intervalle entre les gargarismes peut varier entre une demi-heure ou une heure. Et pour faire d'une pierre deux coups, profitez de l'occasion pour un bon traitement externe. Faites chauffer de l'eau avec 30 ml (2 c. à table) de vinaigre de cidre, trempez-y un morceau de linge et entourez bien votre gorge avec cette compresse. Recouvrez la compresse d'une grande serviette chaude pour conserver la chaleur et laissez la peau de votre gorge absorber la substance.

Voici une autre recette qui a fait ses preuves. Dans un verre d'eau tiède, versez 15 ml (1 c. à table) de vinaigre de cidre de pommes et 5 ml (1 c. à thé) de miel, et buvez ce mélange, qui aseptisera votre gorge entièrement.

Nota bene: Pour ceux qui ont des problèmes digestifs, il vaudrait mieux éviter le miel. Voir, à ce sujet, le chapitre *Des réponses à vos questions.*

Prévenez! Dès les premiers picotements dans votre gorge, allez-y! Gargarisez-vous, tel qu'il est indiqué ci-dessus.

APHTE

Le vinaigre de cidre est aussi utilisé efficacement, en applications locales, dans les cas d'aphte – petite ulcération virale douloureuse qui apparaît sur la muqueuse de la bouche ou du larynx.

TOUX DUE À UNE GORGE IRRITÉE

Le vinaigre de cidre soulage aussi la toux imputable à l'irritation des voies respiratoires. Il suffit d'imbiber de vinaigre de cidre un mouchoir que l'on garde à portée de la main et que l'on hume souvent. Et qui plus est! Si elle ne remplace pas les médicaments reconnus, cette méthode peut aussi soulager les quintes de toux qui accompagnent la coqueluche.

Un bon truc: vaporisez votre taie d'oreiller de vinaigre de cidre pour faire cesser la toux nocturne.

Pour une bonne recette de sirop contre la toux, je n'en vois pas de meilleures que celle-ci:

Sirop contre la toux

> ½ verre de vinaigre de cidre
> ½ verre d'eau
> 5 ml (1 c. à thé) de poivre de Cayenne
> 45 ml (3 c. à table) de miel pur

Mêler le tout. Prendre une cuillerée au besoin.

Un autre traitement très efficace, pour des rhumes plus sérieux, est le célèbre cataplasme à la moutarde. Il a pour effet de dégager les voies respiratoires inférieures, bronches et poumons. En voici la recette.

Cataplasme

15 ml (1 c. à table) de farine de moutarde
30 ml (2 c. à table) d'eau
30 ml (2 c. à table) de vinaigre de cidre

Bien délayer les ingrédients.

Mode d'emploi

Étendre sur un coton à fromage et placer sur la poitrine, puis recouvrir d'un nouveau coton à fromage sec.

Nota bene : Il ne faut pas laisser ce cataplasme plus que quelques minutes, car il peut causer des brûlures et laisser des cicatrices. On peut sans doute augmenter cette période, selon le sujet, son âge et sa vulnérabilité aux produits puissants.

SINUSITE

À la condition de consommer du vinaigre de cidre avec de l'eau tiède, les personnes gênées par la sinusite seront soulagées et verront même leur sinusite diminuer. Voici la posologie : un verre d'eau tiède additionnée de 15 ml (1 c. à table) de vinaigre de cidre de pommes, pris au lever, à midi et au coucher.

Il y a aussi les inhalations à base de vinaigre de cidre pour lutter contre la congestion nasale si incommodante. Voici une recette pour nous aider à dégager les voies respiratoires supérieures, le nez, la gorge et les sinus.

Vinaigre à l'eucalyptus

125 ml (½ tasse) de vinaigre de cidre
250 ml (1 tasse) d'eau
3 gouttes d'huile essentielle d'eucalyptus

Verser le vinaigre de cidre dans l'eau. Faire bouillir le liquide. Ajouter trois gouttes d'huile essentielle d'eucalyptus. Inhaler la vapeur.

Autre alternative

15 ml (1 c. à table) de vinaigre de cidre
5 gouttes d'huile essentielle d'eucalyptus

Bien mélanger les ingrédients. Imbiber un mouchoir et respirer les vapeurs.

RHUMES

Les rhumes sont généralement causés par un virus contre lequel il n'existe pas vraiment de remède. Il faut se résigner, paraît-il, et attendre que la situation se résorbe. Mais il n'est pas défendu de chercher à en soulager les symptômes qui perturbent notre bien-être. Je vous suggère donc de prendre quatre fois par jour 15 ml (1 c. à table) de vinaigre de cidre dilué dans un peu d'eau qui agira comme antiseptique et bactéricide.

Bronches et poumons

Un cataplasme de vinaigre de cidre de pommes et de poivre est très efficace, pour désencombrer vos voies respiratoires à l'occasion d'un rhume de poitrine. Installez la compresse directement sur la poitrine et laissez-la jusqu'à ce que vous ressentiez un dégagement.

Otite

Tout comme les enfants, les nageurs qui fréquentent les piscines au chlore savent ce que sont les otites répétées ! Quelle souffrance !

Si le médecin, ou spécialiste, ayant posé son diagnostic, affirme que l'otite ne provient pas d'un trouble relevant de la chirurgie, il n'est pas défendu de se servir du vinaigre de cidre pour combattre l'affection. Il suffit de baigner l'oreille avec une eau vinaigrée. Pour de meilleurs résultats, vous pouvez utiliser une macération maison.

Vinaigre de marjolaine, de sauge ou de rue

185 g (6 oz) de la plante choisie
1 L (4 tasses) de vinaigre de cidre

Mettre la plante dans un pot stérilisé. Ajouter le vinaigre. Fermer le pot hermétiquement. Laisser macérer quatre à huit semaines.

Mode d'emploi

Irriguer l'oreille de cette solution à l'aide d'un compte-gouttes. Certains le placent au soleil pour activer la macération.

Pour en revenir aux nageurs et à la prévention qui est à la portée de tous, je recommande de se rincer les oreilles après chaque baignade avec le mélange suivant : à quantités égales, de l'eau distillée et du vinaigre de cidre.

Nota bene : Dans tous les cas où l'on utilise des solutions d'eau vinaigrée, il faut être bien certain que le mélange a été tiédi, sinon refroidi, selon les besoins, surtout si utilisé dans l'oreille.

Bouffées de chaleur

C'est généralement à la femme ménopausée qu'on pense, quand on mentionne les bouffées de chaleur. Pourtant, ces désagréments ne sont pas exclusifs à la femme et ne sont pas toujours causés par des troubles hormonaux qui se présentent avec l'âge. On peut aussi souffrir de bouffées de chaleur à cause d'une digestion laborieuse, surtout après un repas trop copieux.

Si, pour une raison ou une autre, vos bouffées de chaleur sont insupportables, faites ceci : versez 15 ml (1 c. à table) de vinaigre de cidre dans le creux de votre main, trempez-y le bout des doigts et massez-vous légèrement les tempes et la nuque.

C'est une recette simple et efficace pour vous rafraîchir.

Je recommande aussi d'ingérer de l'eau additionnée de vinaigre de cidre.

Cholestérol

Qu'est-elle donc cette fameuse substance, ostracisée par la médecine et crainte par la majorité des gens le moindrement renseignés sur les dangers qu'elle présente ?

C'est un corps gras, solide, nécessaire à l'organisme, qui se rencontre à l'état naturel puisqu'il est produit par le foie à raison d'un gramme par jour. On en retrouve dans différentes parties du corps comme le cerveau, le plasma sanguin, la bile, etc. Pourquoi donc en avoir fait un épouvantail s'il est nécessaire au corps ?

Parce que, si le cholestérol produit naturellement par le corps n'est pas dommageable en soi, l'apport du cholestérol dans l'organisme par l'ingestion de produits d'origine animale peut l'être, et même causer de sérieux problèmes de santé. C'est la façon de gérer ce cholestérol additionnel par l'organisme, qui sera la clef de tout.

Je m'explique. La consommation de produits d'origine animale *ajoute* du cholestérol à notre organisme, mais il y a pire : certaines huiles, particulièrement les gras saturés, *augmentent* la *production du cholestérol par le corps.* C'est cette surproduction qui est nocive au point de mener, à la longue, à des accidents cardio-vasculaires.

Toutefois, je me dois de dire que tous ne réagissent pas de la même façon au surplus de cholestérol. Plusieurs facteurs peuvent agir : l'hérédité, le stress, le manque d'exercice et une mauvaise alimentation. Par exemple, il est reconnu que consommer de l'ail diminue le taux de mauvais cholestérol. Ce qui est moins connu du large public, c'est l'effet thérapeutique puissant du vinaigre de cidre de pommes artisanal.

Voici ce qui en est.

Primo, c'est le foie qui fabrique du cholestérol. Or, si le foie ne fonctionne pas bien, il est possible qu'il en fabrique trop. Dans ce cas, il est urgent de le désengorger et le vinaigre de cidre de pommes consommé journellement s'avère très efficace. De plus, s'il y a eu formation anormale de cholestérol, il devient important qu'il soit évacué le plus rapidement possible, à défaut de quoi il s'accumule et entrave la circulation sanguine, sans mentionner d'autres problèmes sérieux qui peuvent en découler.

Des chercheurs sont arrivés à la conclusion que l'intervention de la pectine, contenue dans le vinaigre de cidre, et d'autres substances contenues dans la pomme, aident à l'élimination du cholestérol dans le sang. En fait, la pectine traverse très lentement l'appareil digestif, s'agglutine au cholestérol et l'entraîne avec elle hors de l'organisme. Des experts médicaux chinois viennent de publier une étude démontrant l'efficacité du vinaigre pour assouplir les vaisseaux sanguins, pour réduire l'œdème et les niveaux de gras dans le sang, et pour améliorer l'énergie vitale.

Fait à noter, l'on assiste à une évolution remarquable. Plutôt que de réserver le vinaigre de cidre à la cuisine, on le considère maintenant comme une boisson bénéfique à la santé, qu'il faudrait consommer régulièrement, car c'est un fait indubitable : la consommation constante du vinaigre de cidre aide à diminuer la pression et à revigorer les fonctions de l'estomac et de la rate, organe important dans la médecine chinoise.

Cœur

Le cœur est l'agent principal de l'appareil circulatoire. C'est un organe, ou, si l'on préfère, un viscère musculaire situé dans la cage thoracique et qui agit comme une pompe aspirante et foulante. Du côté droit du cœur, oreillette et ventricule droits, circule le sang veineux ; du côté gauche, oreillette et ventricule gauches, circule le sang artériel.

Existe-t-il des moyens de renforcer ce muscle, certes celui qui accomplit le travail le plus exigeant et le plus important ? Oui. On sait déjà que ce muscle a besoin de beaucoup de potassium. Or, dans le vinaigre de cidre, on trouve une forte quantité de potassium qui le renforce, puisque le potassium est aux muscles ce que le calcium est aux os.

Pris régulièrement, le vinaigre de cidre de pommes élimine aussi les dépôts de calcium sur les parois artérielles et aide à une meilleure circulation sanguine.

Crampes musculaires

Elles surviennent aux moments les plus inopportuns, mais le plus souvent la nuit, et se présentent par des douleurs aiguës qui se manifestent brusquement. On les trouve chez des personnes en bonne santé, mais elles peuvent aussi résulter de certaines affections nerveuses.

S'il s'agit de crampes simples dans les jambes, il suffit parfois de se mettre debout et d'appuyer fermement les pieds sur le sol. Quelques frictions sont parfois indiquées. Toutefois, un bon moyen de les diminuer et peut-être de les faire disparaître serait d'ingurgiter, trois fois par jour, une solution composée de 15 ml (1 c. à table) de vinaigre de cidre de pommes et de 250 ml (1 tasse) d'eau. Si les crampes sont très fréquentes, une consultation médicale s'impose.

Pour calmer vos muscles fatigués, enveloppez les points douloureux ou sensibles avec un linge imbibé de vinaigre de cidre de pommes et laissez à cette compresse le temps d'agir.

Nota bene : le vinaigre assouplit les tissus et, ce faisant, il permet aux cellules de poursuivre leur activité vitale.

Je suggère la recette suivante, facile à préparer et très efficace, pour les crampes, et aussi pour les courbatures et les foulures. Bien battre un jaune d'œuf avec 15 ml (1 c. à table) de vinaigre de cidre et 0,5 ml (⅛ c. à thé) d'huile d'olive. Appliquer sur les points douloureux et masser.

Évanouissements

À une époque pas si lointaine, toutes sortes de facéties circulaient sur les femmes dont la taille était cintrée dans un corset rigide, et que l'on voyait chavirer, au bord de l'évanouissement. On s'empressait de leur faire respirer les sels volatils de vinaigre, qu'elles portaient presque immanquablement sur elles, au cas où ! Il n'empêche que le traitement, quoique doux, était efficace.

Il n'a rien perdu de sa valeur. Quoi de mieux, en effet, pour redonner du tonus à une personne qui est sur le point de s'évanouir ou qui a déjà perdu conscience.

Fièvre des foins

C'est presque la fin du printemps, pas tout à fait le début de l'été. Les fleurs des champs sont écloses et remplissent l'air de parfums, la nature est magnifique.

Hélas! De nombreux individus sont allergiques au pollen et les symptômes de cette allergie sont, non seulement désagréables, mais épuisants. Le blocage de leurs sinus leur occasionne des larmoiements, des éternuements à répétition et des écoulements nasaux. C'est la déprime!

Grâce au vinaigre de cidre de pommes, les intéressés peuvent réénergiser leur système immunitaire et ainsi atténuer grandement les vilains symptômes. De nos jours, les périodes dites *à risque* sont annoncées dans tous les médias. Il suffit donc de se tenir à l'affût et, dès les premiers signes, de préparer un traitement des plus simples à boire avant le repas: 15 ml (1 c. à table) de vinaigre de cidre de pommes dans un verre d'eau.

Grossesse

Les femmes enceintes sont-elles suffisamment renseignées sur les propriétés du vinaigre de cidre, de cidre de pommes artisanal entre autres? Si elles l'étaient, il me semble qu'elles, et le bébé qu'elles portent, s'en trouveraient bien. Le nourrisson et l'enfant y gagneraient grandement eux aussi.

Voici quelques bonnes raisons pour privilégier cet aliment extraordinaire.

FER ET CALCIUM

Considérant que le vinaigre de cidre de pommes contient minéraux et vitamines, considérant aussi qu'il est fait d'éléments qui améliorent l'assimilation du fer et du calcium, l'on conviendra qu'il peut être extrêmement efficace au cours de la grossesse et après.

NAUSÉES

Nombreuses sont les femmes enceintes affligées de nausées contre lesquelles la médecine traditionnelle est impuissante, les médicaments présentant trop d'effets secondaires parfois dangereux. Or, une cure au vinaigre de cidre de pommes artisanal peut être très efficace dans ce cas, sans causer d'effets secondaires nuisibles.

LACTATION

Pour la mère qui allaite, on dit que ce traitement augmente la lactation. Et les fans du produit affirment que *le bébé sera plus vigoureux, plus vif intellectuellement et qu'il jouira d'une dentition parfaitement saine.*

Pour qui fait fi des préjugés, il est évident que le vinaigre de cidre de pommes occupe une place de choix sur la grande scène où évoluent une multiplicité et une variété incroyable de médicaments. Mais faut-il tout croire des bienfaits qu'on lui attribue?

C'est à chacun, à chacune, qu'il revient de faire sa propre évaluation et de tirer ses propres conclusions.

Hygiène buccale et dentaire

Inutile de chercher bien loin la cause de très nombreux problèmes dentaires, parmi lesquels la carie tient la place d'honneur. Il suffit de prendre conscience de notre consommation de sucre blanc, de pâtisseries, de chocolat.

Il est très important d'observer des règles strictes en ce qui a trait à l'hygiène buccale et dentaire, donc de s'en tenir à une alimentation saine et équilibrée. Cela dit, un bon rince-bouche que vous aurez fait vous-même avec de l'eau et du vinaigre de cidre, que vous pouvez parfumer à la menthe, vous assurera une haleine toujours impeccable. En plus de neutraliser les bactéries qui causent la mauvaise haleine, cette solution protégera vos gencives contre certaines affections comme la gingivite et d'autres. Pas d'abus cependant, car vous pourriez nuire à l'émail de vos dents.

Préparez-vous une bouteille contenant une solution de vinaigre de cidre dilué dans de l'eau : 25 ml (5 c. à thé) de vinaigre de cidre dans un litre (4½ tasses) d'eau. Utilisez matin ou soir ou à quelques reprises durant la semaine. Pour changer la monotonie du quotidien, voici une bonne recette.

Vinaigre à la menthe

1 pot de feuilles de menthe fraîche, entières
1 quantité suffisante de vinaigre de cidre pour remplir le pot

Verser le vinaigre de cidre sur les feuilles de menthe de manière à remplir le bocal. Laisser macérer de quatre à six semaines.

Mode d'emploi

15 ml (1 c. à table) de vinaigre à la menthe dans un verre d'eau, trois fois par jour.

Infections urinaires

Peu d'individus échappent à une infection urinaire au cours de leur vie, mais ce sont surtout les femmes qui en sont atteintes de façon répétitive. Dans tous les cas, il faut consulter un médecin.

Toutefois, voici une prophylaxie intéressante : 10 ml (1 c. à table) de vinaigre de cidre dans 250 ml (1 tasse) d'eau. Il faut boire ce mélange trois à quatre fois par jour pendant la durée de l'affection.

Parce qu'il acidifie les urines, perturbant ainsi le développement des bactéries qui ont horreur de l'acide, le vinaigre de cidre de pommes, absorbé quotidiennement pendant un certain laps de temps, s'avère aussi une très bonne mesure préventive.

Insomnie

L'inquiétude, l'angoisse, la nervosité et la pollution sont autant de facteurs responsables de l'insomnie d'une multitude d'individus. On a tout essayé. On a compté des moutons, on a dit des prières, on a fait une méditation, on a résolu au moins sept grilles de mots croisés et on est toujours éveillé. Plus le temps passe, plus on s'énerve.

Il existe un remède très simple à ce trouble du sommeil. Buvez quotidiennement de l'eau additionnée de vinaigre de cidre de pommes avant de vous mettre au lit, 15 ml (1 c. à table) dans 250 ml (1 tasse) d'eau suffisent. Prenez quelques gorgées, et, si vous vous réveillez au bout de quelques heures, buvez le reste.

Un bon bain contenant 250 ml (1 tasse) de vinaigre de cidre s'avère aussi un calmant naturel efficace. Une tisane, dont voici la recette, s'avère aussi très efficace dans les cas désespérés.

Vinaigre de primevères et de miel

15 ml (1 c. à table) de vinaigre
5 ml (1 c. à thé) de primevères
5 ml (1 c. à thé) de miel (pour les personnes qui n'ont pas de problèmes de flatulence avec le miel)

Mettre ces ingrédients dans 250 ml (1 tasse) d'eau chaude. Bien mélanger et boire. Cette association exceptionnelle du vinaigre de cidre, du miel et de l'eau chaude, que je déconseille fortement en tout temps, n'a pour but que de réconforter les personnes qui souffrent d'insomnie.

Maigreur

Alors que nombreux sont les individus qui protestent sans tarir sur leurs rondeurs ou leur obésité, il y a un groupe parallèle de personnes qui ne parviennent pas à prendre du poids. On ne parle pas ici d'amaigrissement, qui est un état temporaire, mais d'un état permanent. On voit souvent, dans les boutiques de vêtements pour dames, des femmes désespérées d'avoir à chercher des tailles très petites, parfois difficiles à trouver.

Quels que soient la quantité et le type d'aliments que ces personnes consomment – même des aliments excessivement riches en gras et en sucre – elles ne parviennent pas à gagner ne serait-ce qu'une ou deux livres. Comment expliquer cette incapacité à atteindre un poids souhaitable ? Tout simplement par une carence des enzymes essentielles.

À cause des enzymes qu'il contient, je recommande l'absorption régulière du vinaigre de cidre artisanal dans les proportions suivantes : 15 ml (1 c. à table) de vinaigre de cidre de pommes artisanal dilué dans un verre d'eau, une à trois fois par jour.

Maux de tête

La céphalée revêt plusieurs formes et, comme bien d'autres affections, elle a plusieurs causes. Je n'ai pas ici l'intention d'aborder la *migraine* qui empoisonne la vie de tous ceux et de toutes celles qui en sont affligés et qui a gardé tout son mystère. Cependant, en ce qui a trait au mal de tête découlant de la nervosité ou du stress, je crois pouvoir avancer que le vinaigre peut apporter un bon soulagement.

Voici un traitement que j'ai personnellement éprouvé et qui consiste à se tamponner les tempes et le front avec du vinaigre. C'est formidable.

Un autre traitement que je recommande, c'est de respirer les vapeurs du vinaigre – de préférence parfumé à la lavande ou au romarin, les deux plantes ayant des vertus calmantes – de vous allonger une bonne demi-heure dans un endroit sombre, et de relaxer.

Voici comment préparer vos inhalations.

Versez des portions égales d'eau et de vinaigre de cidre de pommes dans un petit chaudron et faites bouillir lentement. Quand l'évaporation commence, entourez-vous la tête d'une serviette, penchez-vous au-dessus de la vapeur et respirez ce mélange. Faites au moins 80 inhalations.

Vinaigre à la lavande

> *185 g (6 oz) de fleurs fraîches de lavande*
> *1 L (4 tasses) de vinaigre de cidre*

Laisser macérer les fleurs dans le vinaigre pendant sept jours.

Mode d'emploi

Remplir le lavabo à moitié avec de l'eau et lui ajouter 15 ml (1 c. à table) de ce vinaigre. Après avoir nettoyé la figure, la rincer avec ce mélange.

Vinaigre au romarin

> *4 tiges de romarin*
> *500 ml (2 tasses) de vinaigre de cidre*

Déposer les tiges de romarin dans le vinaigre. Laisser macérer pendant quatre à six semaines.

Mode d'emploi

Mettre 15 ml (1 c. à table) dans un verre d'eau. Boire trois fois par jour.

Mémoire

Dès leur naissance, les humains sont dotés de millions de neurones, dont le nombre diminue insensiblement à mesure qu'ils avancent dans la vie. Si ces neurones sont sollicités, ils demeurent alertes. C'est pourquoi il est si important de rester actif intellectuellement. On appelle ça faire de la *gym-cerveau* – gymnastique cervicale.

Mais pour rester actif intellectuellement, il faut en avoir envie et, pour en avoir envie, il faut être en bonne santé. Or, chez les personnes âgées, les problèmes de santé découlent généralement d'une perte d'appétit ou du fait que l'alimentation a perdu de sa séduction. Pas de goût pour s'alimenter = pas d'énergie pour occuper son intellect = des neurones qui deviennent inactifs = une mémoire qui s'estompe pour finir par s'endormir tout à fait.

Selon des résultats, obtenus à la suite d'observations et d'études auprès de personnes âgées qui se plaignaient de la perte de mémoire, une alimentation variée et saine, incluant une cure au vinaigre de cidre, leur redonnerait une grande partie de l'agilité mentale perdue. En effet, en apportant à leur organisme certains nutriments indispensables, le vinaigre de cidre améliore la mémoire.

Voici une recette très intéressante.

Boire, au lever et au coucher, 15 ml (1 c. à table) de vinaigre de cidre (ou aromatisé au romarin, page 141). En plus de favoriser une bonne circulation sanguine, ce traitement a pour effet d'augmenter l'oxygénation du cerveau.

Nervosité

À part les produits chimiques de tous acabits prescrits à tous azimuts, est-il possible de trouver un traitement naturel et efficace pour diminuer la nervosité et réduire l'angoisse?

J'en suis convaincue, et les études, nombreuses et très fouillées dans ce domaine, me donnent raison. Il y a belle heurette que le vinaigre est utilisé pour soigner tous les comportements causés par des nerfs fragiles. D'ailleurs, il suffit de consulter un peu l'histoire pour trouver des recettes parfois hautement fantaisistes ou, en tout cas, peu réalisables actuellement.

Un fait demeure. Si les nerveux et les hyperactifs – j'inclus les enfants difficiles et agressifs – prenaient quotidiennement une ration de vinaigre de cidre de pommes artisanal dans un verre d'eau, il leur suffirait de deux mois pour ressentir un grand bien-être au plan nerveux.

Je recommande également, pris deux ou trois fois la semaine, un bain chaud de 20 minutes auquel on a ajouté 250 ml (1 tasse) de vinaigre de cidre.

Obésité

Le vinaigre de cidre de pommes est excellent pour détruire l'excès de gras dans les cellules, favorisant ainsi une perte de poids progressive. Cela n'a pas de quoi surprendre. En effet, nous l'avons vu, il est efficace pour enlever toute trace de graisse sur un meuble tout en le désinfectant. C'est exactement l'effet qu'il produit dans notre organisme.

Je conseille la préparation suivante : 60 ml (4 c. à table) de vinaigre de cidre dans 1½ L d'eau (6 tasses), qu'il faut boire chaque jour.

Peau

PSORIASIS

On ne semble pas avoir trouvé la ou les causes de cette maladie de la peau dont souffrent de très nombreux sujets des deux sexes. C'est pourquoi on n'en a pas encore trouvé le remède, sans doute. Or, pour en atténuer les symptômes, je recommande le vinaigre de cidre à cause de ses vertus thérapeutiques. On peut en boire quotidiennement, dilué dans de l'eau tel qu'indiqué généralement. On peut aussi l'utiliser, dilué dans l'eau, pour rincer la peau après la toilette.

Pour traiter le psoriasis localisé au cuir chevelu, le vinaigre de cidre non dilué peut donner des résultats stupéfiants. Il suffit, trois à quatre fois par semaine, de masser le cuir chevelu avec du vinaigre de cidre artisanal non dilué et de mettre un casque de douche pendant quinze minutes. Puis, on rince parfaitement. Ne pas s'inquiéter si on ressent quelques picotements, c'est normal.

PYODERMITE

C'est le terme générique qui englobe différentes affections cutanées s'attaquant *généralement* aux bébés et aux jeunes enfants, mais aussi aux enfants d'âge scolaire passant des séjours dans les colonies de vacances, les chalets d'été et d'autres endroits très peuplés d'enfants. Une de ces affections est l'impétigo, bien connue puisqu'elle est à l'origine d'épidémies dans les pouponnières. Inutile de dire qu'elle doit être soignée de façon énergique et qu'un spécialiste doit assurer un suivi.

Aux traitements prescrits par son spécialiste, on peut associer des compresses tièdes d'eau et de vinaigre de cidre, une solution à la fois antiseptique et calmante.

ÉRYTHÈME FESSIER DU NOURRISSON

Ah! si le bébé pouvait donc exprimer à quel point il est incommodé par cette affection cutanée qui aurait pu être évitée. Hélas! Pour se faire comprendre, il n'a que ses pleurs.

Quand l'affection est bénigne, on se contente généralement de dire que bébé a les fesses irritées.

Avant tout, il faut rechercher un bon diagnostic après quoi, une fois qu'on s'est assuré que bébé est aussi propre que possible et qu'on a pris soin de bien stériliser ses couches, on peut recourir à une solution d'eau légèrement vinaigrée pour tamponner toute la surface à traiter ou à protéger. Il faut bien assécher les petites fesses, après quoi on les saupoudre d'argile sèche en poudre.

Pourquoi ne pas verser un soupçon de vinaigre de cidre dans son eau de bain? Ses propriétés aseptisantes vous donneront un excellent moyen de prévenir les irritations.

ECZÉMA

C'est une affection cutanée très répandue, caractérisée principalement par de petites boursouflures ou des croûtes qui se détachent en lamelles, qui touche à la fois l'épiderme et le derme.

Ses causes sont multiples et varient d'un individu à l'autre: hérédité; foie, tube digestif ou système nerveux déficients; grattements, rayons solaires, chaleur, froid; produits de lavage et de nettoyage; vernis, teinture, eau de javel, essences, huiles, certaines fleurs, certains aliments, les eaux grasses provenant de la lessive ou de la vaisselle, même! l'eau du robinet. Sans oublier certains problèmes d'ordre psychologique.

Il est impératif d'éliminer les causes externes, de consulter un spécialiste, au moins un généraliste, et de s'assurer un suivi sérieux. Pour apporter un soulagement temporaire, je recommande du vinaigre de cidre dilué dans de l'eau pour de légères applications locales. Pour obtenir des résultats optimums, il faut éviter l'abus. La modération finit toujours par gagner sur l'excès.

Ne jamais oublier que le traitement externe doit s'accompagner d'une absorption régulière du produit, dont la posologie et la durée doivent être adaptées à la sévérité du problème.

ACNÉ

Il y a plusieurs acnés, et leurs causes sont nombreuses et encore mal connues. Quant à leurs séquelles, elles peuvent parfois être extrêmement sérieuses, et les cicatrices indélébiles qu'elles laissent parfois peuvent traumatiser une personne pour le reste de sa vie.

Parlons prévention avant tout. Je suis profondément convaincue qu'un nettoyage méticuleux du visage, suivi d'un rinçage avec une solution d'eau stérile et de vinaigre de cidre, *peut prévenir* l'acné juvénile, dans la mesure où ce traitement est accompagné d'une bonne hygiène alimentaire. Car ce qu'il faut savoir, c'est que l'acné est une affection qui atteint les glandes sébacées et pilo-sébacées chez les sujets présentant de la *séborrhée*. Et qu'est-ce que la *séborrhée*? C'est l'hypersécrétion des glandes sébacées, celles qui produisent le sébum – cette matière grasse dont l'excès engendre l'acné et bien d'autres problèmes de peau.

Or, comme j'ai tenté de le démontrer tout au long de cet ouvrage, le vinaigre de cidre de pommes, surtout lorsqu'il est fait de manière artisanale, est un solvant naturel des graisses et vaut bien des lotions dites toniques.

Voici une cure que je conseille aux adolescents acnéiques. Mettre 60 ml (4 c. à table) de vinaigre de cidre de pommes dans un litre d'eau et faire bouillir. Lorsque le mélange est à pleine ébullition, éteindre le feu et placer le visage au-dessus du chaudron pour que la vapeur l'atteigne partout. Ceci ouvre les pores de la peau. Puis, plongez une ouate dans la solution encore chaude et frottez-en doucement la peau. C'est excellent pour chasser les impuretés.

Il faut compléter ce traitement en épongeant le visage avec un mélange, dans des proportions égales, de vinaigre très froid et d'eau pure, que l'on aura préparé d'avance. Ce procédé refermera les pores. (Je le rappelle, il faut éviter l'eau du robinet.)

Je conseille une solution d'eau vinaigrée et de lavande pour peau acnéique (voir page 141). Ce traitement peut être répété tous les deux ou trois jours.

COUPEROSE

La couperose est une inflammation chronique des glandes cutanées de la figure, qui se caractérise par des pustules peu étendues environnées d'une auréole rosée.

Dans ce cas aussi, le vinaigre de cidre peut être avantageux pourvu que la solution utilisée soit très légèrement vinaigrée et que le sujet évite les contrastes de température : pas d'eau chaude, pas d'eau froide, seulement de l'eau à la température du corps.

ROUGEURS

De nombreuses personnes sont affligées de rougeurs tenaces, sans que ce soit de la couperose. L'utilisation d'un masque peut faire des merveilles. Il s'agit de préparer un emplâtre, en mélangeant des quantités égales de vinaigre de cidre et d'eau avec de la farine d'avoine. Une fois qu'on a obtenu un mélange ferme, on l'étend sur la partie rougie.

Pour les cas sérieux, voici une autre excellente recette.

Appliquez un emplâtre vinaigré que vous aurez confectionné en détrempant de la farine d'avoine, ou encore de l'argile blanche, avec du vinaigre de cidre dilué dans de l'eau – 1 partie de vinaigre pour 2 parties d'eau.

DÉMANGEAISONS

Je recommande le vinaigre de cidre pour soulager de nombreuses formes d'irritations cutanées, et aussi pour apaiser les démangeaisons attribuables à de nombreuses causes.

Pour calmer les démangeaisons, il suffit d'employer le vinaigre de cidre pour tamponner l'endroit affecté. Si les démangeaisons sont répandues un peu partout sur le corps, il faut préparer un bain dans lequel on aura versé environ 375 ml (1½ tasse) de vinaigre de cidre.

Un vinaigre aromatisé de thym calmera les démangeaisons plus sérieuses qui pourraient provenir d'allergies ou de petits champignons parasitaires.

Vinaigre au thym

4 tiges de thym
500 ml (2 tasses) de vinaigre de cidre

Déposer les tiges de thym dans le vinaigre.
Laisser macérer pendant quatre à six semaines.

Mode d'emploi

15 ml (1 c. à table) dans un verre d'eau trois fois par jour.

TEIGNE

La teigne est une maladie contagieuse qui provient d'un champignon microscopique et qui se développe sur le cuir chevelu. Autrefois, il fallait raser la tête du patient pour débarrasser chaque poil du parasite, ce qui causait des lésions au cuir chevelu.

De nos jours, la teigne peut être enrayée par radiations, sans laisser de cicatrices. Un bon vieux remède, toutefois, c'est encore de raser la tête et d'appliquer du vinaigre de cidre non dilué à l'aide d'une ouate. Le même traitement est recommandé pour les animaux.

CUIR CHEVELU

(Voir le chapitre *Beauté, bien-être, libido* à la page 97.)

HÉMORROÏDES

Les démangeaisons attribuables aux hémorroïdes peuvent être soulagées par l'application de vinaigre de cidre non dilué.

ZONA

C'est une affection cutanée qui atteint de très nombreuses personnes, principalement après la cinquantaine. Fébrile, douloureuse, d'origine virale, elle se reconnaît d'abord à une éruption de petites boursouflures sur le trajet des nerfs sensitifs. Le zona peut se développer partout : il peut ceinturer le corps à hauteur des hanches, se loger sous les aisselles, sur le cuir chevelu, les jambes, même les yeux. On appelle ce dernier zona ophtalmique.

Il est primordial de consulter un médecin qui portera son diagnostic et prescrira des médicaments appropriés.

Dans certains cas sérieux ces cloques suppurent, ce qui nécessite une propreté méticuleuse. Il faut désinfecter la région atteinte. On déconseille les pommades, mais on recommande le vinaigre de cidre de pommes non dilué. Appliqué délicatement sur les plaies à l'aide d'un tampon, au lever et au coucher, le vinaigre calme les sensations de brûlure et de démangeaison en quelques minutes et aide à la cicatrisation des lésions.

Pieds

Les pieds jouent un rôle prépondérant dans le grand théâtre de la vie dont la vedette est le corps humain. C'est un rôle très exigeant, et si nous ne leur donnons pas les soins essentiels, ils trahiront leur mission, pour notre malheur.

À priori, en raison de la place qu'ils occupent dans le corps humain, les pieds sont défavorisés en ce qui a trait à la circulation sanguine. Ajoutons à cela que ce sont eux qui nous portent et que, depuis la naissance, leur croissance n'est pas en proportion de l'accroissement de notre poids. En d'autres termes, leur structure n'est pas conçue pour soutenir une surcharge de poids, ce qui arrive trop souvent. Pour toutes ces raisons, si nous en négligeons l'hygiène, si nous portons des chaussures inadéquates, si nous travaillons debout, nous verrons naître toutes sortes de troubles et de maladies du pied. Pour les éviter, il y a plusieurs lois à observer, dont le port de chaussures bien adaptées à notre pied et une propreté méticuleuse.

HYGIÈNE

Des bains de pieds à l'eau vinaigrée apportent un soulagement certain aux pieds fatigués, et, pour enrayer l'excès de transpiration, je suggère la recette suivante : une poignée de gros sel et un verre de vinaigre dans une bassine d'eau tiède.

PIED D'ATHLÈTE

Causé par des champignons, le pied d'athlète est une infection qui se loge dans les interstices des orteils. Il s'ensuit une éruption prurigineuse et malodorante, souvent douloureuse.

Selon la croyance répandue, cette infection touche les gens malpropres. Cela n'est pas nécessairement vrai. Les athlètes sérieux ne quittent jamais le gymnase sans une bonne douche, et ce sont pourtant, à cause de la sudation abondante qui accompagne leurs exercices, les sujets les plus vulnérables.

Aussi, comme il est contagieux, il se trouve des personnes plus prédisposées que d'autres qui l'attraperont immédiatement dans les endroits publics comme la piscine, le bain tourbillon, la plage.

Il est extrêmement important de se laver les pieds souvent, surtout durant les chaleurs. On conseille même d'utiliser un bon détergent au lieu d'un savon de toilette. Mais le plus important, c'est de bien assécher ses pieds, principalement sous les orteils et dans les interstices, et de terminer sa toilette en y appliquant du vinaigre de cidre, puisque, comme je l'ai démontré, c'est un excellent désinfectant.

Une fois votre toilette terminée, prenez quelques moments de plus pour désinfecter vos chaussettes (bas) à l'eau vinaigrée.

Le vinaigre de cidre est peut-être le moins coûteux, le plus simple et le plus efficace fongicide.

CORS

Un autre problème qui peut empoisonner la vie, ce sont les cors contre lesquels une majorité de personnes tempêtent. Ils peuvent se loger sous la plante ou sur les phalanges des orteils. Les plus fréquents se trouvent sur le gros ou le petit orteil.

Ces indurations sont très douloureuses, au point de nuire à nos activités pédestres et à nos exercices quotidiens, et de gâcher nos plus belles soirées et nos voyages les plus intéressants.

On peut prévenir les cors en portant des chaussures très bien adaptées à la forme du pied. Mais si, par malheur, nous en sommes victimes, il est impératif de les traiter avec un grand sérieux afin de limiter les dégâts, car on pourrait assister à l'apparition de lésions parfois graves : abcès, ostéite et autres.

Il est toujours sage de consulter un médecin ou un podiatre. Ils recommanderont généralement la désinfection et l'application de coricides.

Toutefois, des bains d'eau chaude additionnée de vinaigre de cidre peuvent être d'un grand secours. Faites-y tremper vos pieds de vingt minutes à une demi-heure pour attendrir l'induration. Puis, une fois que vos pieds sont bien asséchés, prenez une pierre ponce et frottez-en la corne. Couvrez la zone sensible avec une bandelette imbibée de vinaigre de cidre, que vous garderez toute la nuit et que vous remplacerez le lendemain par de la gaze.

VERRUES

Comment distinguer la verrue plantaire du cor plantaire?

La verrue plantaire est douloureuse dès l'instant où elle se manifeste et elle saigne facilement, tandis que le cor plantaire fait mal seulement s'il subit un frottement ou un choc ou s'il est accompagné d'une infection profonde. De nos jours, on utilise l'électrocoagulation ou la radiothérapie pour extraire la verrue plantaire.

Une fois que vous avez vu votre médecin ou votre spécialiste, il n'est pas interdit d'avoir recours au vinaigre de cidre pour tenter de s'en débarrasser.

La verrue plantaire est contagieuse et peut se propager ailleurs sur votre pied. C'est pourquoi, contrairement aux cors, il ne faut jamais frotter les verrues, mais les *tamponner délicatement* avec un peu de vinaigre de cidre non dilué dont on a imbibé une ouate ou un tampon.

Prostate

La prostate n'est pas une maladie, mais un organe mâle situé dans le fond du petit bassin et dont le volume varie avec l'âge. Elle a une fonction glandulaire et une fonction contractile.

La prostate est en rapport étroit avec la vessie et l'urètre, ce qui explique que la moindre affection comprime ces organes voisins et fait naître des troubles urinaires sérieux.

Les affections de la prostate sont fréquentes. Il y a les abcès prostatiques et la prostatite aiguë, dus, en majeure partie, au gonocoque.

Chez les hommes de plus de cinquante ans, on trouve l'hypertrophie de la prostate, qui est attribuable à une tumeur bénigne. Le danger que cette tumeur bénigne se transforme en tumeur maligne inquiète énormément les hommes, inquiétude qui peut aller jusqu'à l'angoisse.

Les symptômes en sont assez connus. Malheureusement, par fausse gêne ou tout simplement par peur, trop nombreux sont les hommes qui négligent de consulter un spécialiste dès que des changements se manifestent au niveau de leurs urines.

La prostate se fragilise avec l'âge, ce qui nous amène au vinaigre de cidre de pommes qui se révèle un bon protecteur des tissus fragiles.

À titre préventif, il est recommandé de boire régulièrement de l'eau additionnée de vinaigre de cidre de pommes artisanal avant chaque repas.

Purification

Le corps est *la* merveille de la nature. Il est parfaitement constitué, gréé de tout ce qu'il faut afin de s'auto-entretenir. Organes, réseaux nerveux et sanguins, appareil d'assimilation et de rejet, rien n'y manque. Pour peu que l'on soit reconnaissant pour cet incomparable cadeau et qu'on le respecte, il sera la source de nos réalisations et de nos joies.

D'où vient donc le manque d'intérêt de la majorité à procéder à sa mise au point, sinon saisonnière, du moins annuelle?

S'il ne vous quitte pas par la maladie, il est quand même possible, probable même, que, si vous le négligez trop, votre corps vous cause des souffrances des années durant.

Voici donc, pour votre organisme, une petite mise au point, une cure de désintoxication au vinaigre de cidre qui ne peut qu'être salutaire.

Emplissez une bouteille de 1½ litre (6 tasses) d'eau de source, distillée ou osmose inversée, à laquelle vous ajouterez 60 ml

(4 c. à table) de vinaigre de cidre de pommes. Buvez cette solution tous les jours pendant une durée minimum de 21 jours.

À cause de la pectine, vous bénéficierez d'une élimination plus régulière, plus abondante. De plus, son potassium concourra au renouvellement des cellules.

Vous vous retrouverez complètement régénéré et propre, propre, propre, au-dedans et au-dehors.

Système digestif

Qu'est-ce que l'appareil digestif? C'est, en somme, un tunnel avec une entrée et une sortie, et, placées à des points stratégiques, de petites stations de grandeurs et de formes différentes, chacune ayant un rôle bien précis à jouer. On est sidéré par l'immense travail du pharynx, de l'œsophage, de l'estomac, du foie et des intestins, pour ne nommer que ceux-là, pour nous assurer une bonne digestion.

On ne se rend pas compte qu'alors que nous vaquons à nos occupations, ou que nous nous reposons, tout est mouvement, là-dedans. Tentez une petite expérience. Le soir, alors que la maisonnée est endormie, quand vous êtes couché pour la nuit, portez attention à votre abdomen, et vous entendrez toutes sortes de sons, espèces de gargouillis : vos organes digestifs sont à l'œuvre.

Je suis certaine que si, dès leur jeune âge, les enfants étaient bien conscients de leur corps et de ses merveilles, ils auraient envie de le respecter et, une fois adultes, ils porteraient un plus grand soin à leur alimentation.

Selon le repas ingéré, chaque aliment *attend son tour*, pour ainsi dire, avant d'être soumis à la fonction de chaque organe de l'appareil digestif. Il y a des aliments qui commencent leur digestion dans la bouche, où ils sont broyés, mastiqués et mélangés avec la salive qui contient une enzyme appelée ptyaline.

Les aliments sont alors envoyés à l'œsophage, avec son anneau de muscles, qui se dilate afin de faire un passage jusqu'à l'estomac. Une fois dans l'estomac, ils sont comme fouettés et réduits en morceaux plus petits encore. L'estomac sécrète de l'acide gastrique et une enzyme appelée pepsine, qui brise la protéine. Mais ce n'est pas tout. Le duodénum, le pancréas, les intestins vont faire leur part au cours de ce voyage hallucinant ! Lorsque les aliments en ont fini avec toutes ces activités, ils ont été transformés en un semi-fluide appelé chyme.

Selon le volume et le genre d'aliments ingérés au cours d'un repas, dépendant aussi du métabolisme de chaque individu, la digestion peut prendre plusieurs heures.

Je vous invite à considérer sincèrement ce résumé.

Buvez un bon verre d'eau additionnée de vinaigre de cidre. Vous minimiserez ainsi les effets négatifs que pourrait avoir votre... gourmandise !

Quand on sait que les composants du vinaigre de cidre de pommes s'apparentent aux acides de notre estomac, on est en mesure de comprendre pourquoi il est considéré comme un allié certain de la santé. De plus, il contient, entre autres, les deux plus importantes enzymes : la protéase, qui digère les protéines, et l'amylase, qui digère l'amidon. Le vinaigre de cidre stimule les sécrétions de tous les organes de l'appareil digestif. Il facilite la digestion de la cellulose – fibre des légumes et des fruits. Et, depuis des temps reculés, il est reconnu tant pour ses qualités apéritives que digestives. Cela s'explique ainsi : parce qu'il augmente la salive qui permet aux papilles gustatives de capter la saveur des aliments, il est un stimulant pour l'appétit ; il s'avère un allié extraordinaire pour la digestion.

Pour vous faire du bien, et venir au secours de votre estomac et de tout votre appareil digestif, je vous recommande d'inclure dans votre diète du vinaigre de cidre de pommes artisanal. Avant, pendant ou après votre repas, 15 ml (1 c. à table) de ce vinaigre dilué dans un peu d'eau vous permettra d'augmenter les performances de votre système digestif.

FLATULENCE

Pour prévenir le ballonnement et les flatuosités, gaz d'intestins – versez un filet de vinaigre de cidre de pommes dans l'eau de cuisson ; vos légumes secs et vos légumineuses seront beaucoup plus digestibles.

Attention cependant : si vous continuez à avoir des flatuosités, il se peut que ce soit parce que vous prenez votre vinaigre avec du miel, ce qu'il faut éviter. Je vous recommande du vinaigre aromatisé avec du pissenlit.

Vinaigre de pissenlit

> *1 pot de feuilles de pissenlit fraîches et entières*
> *1 quantité suffisante de vinaigre de cidre pour remplir le pot*

Verser le vinaigre de cidre sur les feuilles de pissenlit de manière à remplir le bocal. Laisser macérer de quatre à six semaines.

Mode d'emploi

15 ml (1 c. à table) de vinaigre de pissenlit dans un verre d'eau, trois fois par jour.

CONSTIPATION

Voilà un trouble intestinal facilement évitable et, pourtant, très commun. Il suffirait de presque rien, en vérité. Encore faut-il savoir...

La constipation, c'est un retard à évacuer les selles. Normalement, les résidus d'un repas pénètrent dans le gros intestin dix heures après leur ingestion et sont évacués dans les douze heures suivantes. Chez certains sujets, ils restent dans l'intestin pendant plusieurs jours.

Le premier moyen pour éviter la constipation, qui peut causer bien des problèmes – céphalée, migraine, urticaire, hémorroïdes, et j'en passe – c'est d'aller à la selle dès que le besoin se manifeste, qu'on soit à l'extérieur de chez soi ou en pleine activité. C'est important, car l'intestin devient facilement paresseux ; conséquemment, à force de le réprimer, il perd sa motilité.

Il est important aussi de surveiller sa diète. Il est certain que l'abus des viandes, aussi bien qu'une insuffisance en légumes et en fruits, jouent un grand rôle.

Je dirais ceci : si vous digérez mal tout le temps, il se peut que le problème se trouve dans votre assiette même. Il suffit de rajouter, sur vos légumes ou dans votre salade, du vinaigre de cidre de pommes et de boire, avant et pendant le repas, une eau vinaigrée.

Quelles que soient les causes de la constipation, on peut y remédier par l'ajout, à sa diète, d'aliments à haute teneur en fibres : fruits, légumes, céréales complètes non raffinées et l'absorption quotidienne, je le répète, d'eau additionnée de vinaigre de cidre de pommes qui, comme on l'a vu, fournit de nombreux minéraux, de bonnes bactéries, et qui vous assurera une bonne élimination grâce à sa généreuse pectine.

Avant de terminer cette page qui porte sur la constipation, je propose cette recette de vinaigre à la graine de lin, qui a fait ses preuves.

Laxatif naturel : vinaigre de cidre et graines de lin

> *5 ml (1 c. à thé) de graines de lin*
> *250 ml (1 tasse) d'eau*
> *5 ml (1 c. à thé) de vinaigre de cidre de pommes* ●➤

Faire bouillir les graines de lin dans l'eau de dix à quinze minutes. Filtrer et refroidir. Ajouter à cette substance gélatineuse le vinaigre de cidre de pommes. Bien mélanger. Si le mélange est trop gélatineux, il suffit de lui rajouter un peu d'eau.

Mode d'emploi

Boire une tasse du mélange le matin à jeun et/ou le soir au coucher, selon ses préférences. Il est conseillé de le prendre tous les jours afin d'assurer un bon transit intestinal et de rééduquer votre côlon.

Si on le désire, on peut s'en préparer d'avance. Il suffit de multiplier les proportions selon la quantité désirée.

DIARRHÉE – ANTIDOTE – VOYAGE

Être aux prises avec les symptômes d'une infection de type gastrique lorsqu'on est chez soi, quand on a tout à portée de la main pour se soigner, c'est désagréable, mais aucunement comparable à la diarrhée qui vous frappe pendant un séjour à l'extérieur, surtout hors du pays. Comment vous défendre contre cet assaut de bactéries qui non seulement assombrit vos sorties, mais vous laisse épuisé, menacé de déshydratation?

Par chance, vous avez pensé à mettre, dans votre *trousse de premiers soins en voyage*, une fiole contenant une solution qui contribuera certainement à aseptiser votre système digestif et vos intestins: 25 ml (5 c. à table) de vinaigre de cidre dans 1 litre (4½ tasses) d'eau en bouteille – car, en voyage, il faut éviter l'eau du robinet, aussi bien que les glaçons qu'on met dans une consommation et qui ont été faits avec de l'eau du robinet.

Buvez de ce mélange au lever, avant le repas du midi, au milieu de l'après-midi, avant le souper et, enfin, juste avant d'aller dormir.

NAUSÉES

Le vinaigre de cidre de pommes artisanal pris avec un peu d'eau est un excellent moyen pour lutter contre les nausées et les vomissements, dont les causes sont diverses : grossesse, mal de mer, etc. Surtout si on lui ajoute de la menthe (voir recette à la page 138) ou, en présence de vomissements, du clou de girofle (voir recette à la page 126).

HOQUET

Si le hoquet fait rire l'entourage, celui qui en est atteint ne le trouve pas aussi drôle. Mettez fin à cet embarras en buvant, lentement et sans respirer, trois gorgées d'eau à la température de la pièce additionnée de vinaigre de cidre de pommes.

INTOXICATION ALIMENTAIRE

Mieux vaut prévenir que guérir !

Par mesures préventives, surtout lorsque vous prenez vos repas ailleurs, particulièrement dans des pays où les critères hygiéniques et alimentaires sont bien différents des nôtres, faites ceci : buvez un verre d'eau additionnée de 15 ml (1 c. à table) de vinaigre une demi-heure avant le repas. Mais si le mal est déjà fait, il vous reste le traitement curatif. En effet si vous avez été surpris par une intoxication, buvez lentement de l'eau vinaigrée – 15 ml (1 c. à table) par verre d'eau – à toutes les quatre heures pendant les vingt-quatre heures qui suivent l'empoisonnement, en prenant soin d'espacer les ingestions de liquide si vous souffrez de vomissements.

BRÛLURES D'ESTOMAC

Pour stimuler les glandes salivaires et hâter le processus de la digestion – libérer plus rapidement les sucs salivaires et gastriques et, ainsi, faciliter l'assimilation des aliments ingérés – une dizaine de minutes avant chaque repas, gargarisez-vous avec une solution un peu plus concentrée : 2 ml (½ c. à thé) de vinaigre de cidre pour 15 ml (1 c. à table) d'eau. Ne crachez pas, mais avalez le mélange.

Je tiens à souligner une fois de plus que tous les sujets ne réagissent pas de la même façon à un même traitement. Soyez attentif aux résultats. Si le traitement n'est pas efficace, consultez votre médecin.

VOUS AVEZ DÉPASSÉ LA MESURE ?

On parle souvent, en se moquant un peu, du *lendemain de la veille*. On s'est bien amusé, on a fait bombance et on ne s'est pas privé de boissons alcoolisées. Une fois n'est pas coutume, se dit-on. Mais voilà, ce matin, on se sent tout de travers ! Et chacun y va de sa petite recette.

La meilleure, selon moi, pour diminuer les effets causés par des excès, c'est la suivante : boire un verre d'eau à laquelle on aura ajouté 15 ml (1 c. à table) de vinaigre de cidre. En redonnant à l'organisme le potassium que l'alcool lui avait fait perdre, cette solution aura tôt fait de le remettre en bonne condition.

Système féminin

DOUCHES VAGINALES

Je crois que les douches vaginales au vinaigre de cidre peuvent contribuer à une meilleure santé vaginale.

Voici la recette que je propose : 15 ml (1 c. à table) de vinaigre de cidre de pommes dans une poire à douches vaginales. Remplir avec de l'eau.

MENSTRUATIONS

Quel est l'énergumène qui a osé prétendre que les douleurs associées aux menstruations, chez certaines femmes, étaient

d'origine psychosomatique? Cette assertion pourrait être longuement débattue et on arriverait à d'autres conclusions, c'est
certain. Quoi qu'il en soit, pour de très nombreuses femmes,
l'arrivée des règles les rend irascibles, angoissées et déprimées.

Pour ma part, je ne veux que rappeler quelques-uns des
symptômes révélateurs d'une déficience hormonale et qui les
plongent dans cet état. En plus du syndrome prémenstruel bien
connu, il y a parfois un cycle irrégulier, des menstruations de
plus de cinq jours, des pertes abondantes, des spasmes au bas-
ventre qui se répercutent à la hauteur des reins, bref, il n'y a rien
de drôle là-dedans.

Or, il est bon de savoir que plus la femme a un cycle régulier,
plus grandes sont ses chances de réduire ces symptômes désas-
treux. Et pour favoriser un cycle régulier, on peut s'en remettre
aux propriétés de la pectine et du potassium que l'on trouve dans
le vinaigre de cidre de pommes.

Voici une solution que je recommande : 15 ml (1 c. à table)
de vinaigre de cidre de pommes mélangé avec 250 ml (1 tasse)
d'eau. Boire quatre fois par jour. Commencez ce traitement une
semaine avant, et pendant, vos menstruations.

Tension artérielle

Celle que j'appelle la *grande capricieuse.* Elle est tellement
variable! Il suffit de descendre ou de monter un escalier, de
ressentir une douleur quelque part, du simple fait d'attendre,
d'être incommodé par le froid, et psitt! la voilà qui s'énerve.

Mais qu'est-ce, au juste?

C'est la pression du sang sur la paroi des artères. Elle dépend
de l'âge du sujet, de son tempérament, de ses activités physiques
régulières, de la température, de la contraction cardiaque et de
la dimension des vaisseaux sanguins. Naturellement, elle est plus
forte dans les artères que dans les veines.

La pression peut être augmentée dans les cas d'artériosclérose – durcissement des parois des vaisseaux – et par d'autres facteurs dont la nomenclature serait par trop fastidieuse.

La tension artérielle, généralement appelée pression, n'est qu'un symptôme. Il ne faut pas en exagérer l'importance mais plutôt la considérer en rapport avec les données de l'examen médical.

Parce que c'est un symptôme, il est essentiel de rechercher ce qu'il cache et c'est justement la raison pour laquelle, lorsque vous consultez même pour un problème mineur, le médecin mesure toujours votre pression sanguine.

Pour maintenir une pression sanguine idéale, voici une prophylaxie intéressante qui ne présente aucun danger. C'est l'absorption d'une solution de 250 ml (1 tasse) d'eau mélangée avec 15 ml (1 c. à table) de vinaigre de cidre de pommes, trois fois par jour.

D'autre part, si vous êtes sujet à l'hypertension, buvez tous les matins un verre d'eau additionnée de 15 ml (1 c. à table) de vinaigre de cidre de pommes.

Tonifiant

Comment expliquer la fatigue chronique et, surtout, comment la contrer avec des moyens simples et à portée de la main?

Des bains au vinaigre pendant quelques jours – 250 ml (1 tasse) de vinaigre de cidre dans votre eau de bain – aideront grandement à rééquilibrer votre pH. Complétez ce petit régime par l'absorption régulière de vinaigre de cidre de pommes, des repas légers, une marche quotidienne de vingt minutes, et couchez-vous tôt. Le sommeil d'avant minuit est des plus salutaires.

Varices et jambes lourdes

Les varices sont la dilatation de veines généralement situées dans les jambes. Les plus fréquentes sont dues à l'hyperpression sanguine, à l'insuffisance valvulaire et à l'état pathologique des parois (varices inflammatoires). Elles s'observent surtout chez les hypertendus, les arthritiques et les sujets qui doivent rester debout durant de longues heures dans l'exercice de leurs fonctions. Le facteur héréditaire peut aussi entrer en ligne de compte.

Pour pallier ce problème, il y a des moyens connus comme le port de bas élastiques ou d'une bande de caoutchouc, mais on peut certainement, et avec des effets surprenants, ajouter à son régime l'absorption quotidienne de vinaigre de cidre de pommes, comme suit : 15 ml (1 c. à table) de vinaigre de cidre de pommes dans un verre d'eau trois fois par jour, avant chaque repas. Excellent moyen de régulariser la circulation sanguine et de réduire, ainsi, le développement de varices et l'inconfort des jambes lourdes.

Comme traitement externe fortement recommandé, versez un peu de vinaigre de cidre non dilué sur la partie affectée et massez *délicatement*. Une diminution de la dilatation devrait se voir après quelques semaines.

Vertiges

Des jambes qui flageolent, une vision trouble, le mal de l'air, le mal de mer, on n'en finirait plus d'énumérer les différents vertiges attribuables à des causes très diverses et très variables. Mettons de côté le vertige dit *normal* qui nous assaille dans les hauteurs, comme au bord d'un précipice ou sur un balcon d'un édifice élevé. Les vertiges dont il est question ici sont pathologiques, revêtent plusieurs formes et ont plusieurs causes.

Il y a le vertige auriculaire ou vertige de Ménière, le vertige apoplectique, le vertige infectieux, le vertige par intoxication, par lésions, et j'en passe et, chez les personnes âgées, il est parfois associé avec l'athérosclérose. Ces vertiges s'accompagnent parfois de nausées, de vomissements, d'une importante sudation, d'un changement dans la couleur de la peau et même d'angoisse.

Il est absolument nécessaire de consulter pour, en premier lieu, avoir un diagnostic sûr et définir la cause de la maladie afin de la traiter ou de la soulager. Toutefois, il est permis d'affirmer qu'une diète, bien équilibrée en fibres et en gras, peut aider à en diminuer les désagréments.

Le vinaigre de cidre de pommes est, une fois de plus, *au premier rang* des moyens mis à notre disposition à cause de son acide acétique, dont le taux est très élevé.

Si vous souffrez de vertiges, je vous recommande de boire quotidiennement un mélange d'eau et de vinaigre de cidre de pommes ordinaire ou parfumé au romarin (voir page 141). Faites ça pendant au moins un mois et vous remarquerez une nette amélioration de votre état.

Vieillissement, cataracte, cancer

On attribue le vieillissement prématuré et aussi, peut-être à tort, les troubles cardiaques, le cancer et la cataracte aux radicaux libres. Or, que sont-ils, ces radicaux libres ?

Décomposons le mot. Radicaux – groupement d'atomes présents dans une série de composés, qui conserve son identité au cours des changements chimiques qui affectent le reste de la molécule. Libres – qui ne sont pas associés à d'autres atomes ou groupements d'atomes.

On peut aussi dire que les radicaux libres sont des parties de molécules qui ont le pouvoir d'oxyder les cellules et de causer leur mort prématurée.

Savoir cela, c'est déjà savoir qu'il est nécessaire de leur déclarer la guerre. Et comment? Grâce aux antioxydants, qui absorbent les radicaux libres et les mettent hors de combat. Heureusement, on peut trouver ces antioxydants dans les fruits et les légumes, dans les bonnes huiles de première pression, dans le vinaigre de cidre et dans plusieurs autres aliments naturels.

Il y a toutes sortes de troubles de la santé qui peuvent être résolus ou prévenus par les antioxydants. Des recherches ont démontré, en effet, qu'une alimentation riche en antioxydants diminue les risques de formation de la cataracte, que l'on associe à l'oxydation du cristallin. La pomme est un bel exemple d'un antioxydant. Conséquemment, on peut conclure que l'absorption quotidienne de vinaigre de cidre de pommes est très conseillée.

Yeux

S'il est un des volets de la médecine qui a évolué depuis l'Antiquité, c'est bien l'ophtalmologie. C'est qu'on a toujours pris très au sérieux toutes les maladies de l'œil, dont certaines peuvent non seulement conduire à la cécité, mais menacer la vie même. En ce domaine, le chemin parcouru est immense! Décollement de rétine, glaucome, cataracte et autres, toutes ces maladies, graves à différents degrés, ont trouvé remède, que ce soit par traitements ou par chirurgies.

Les maladies de l'œil sont légions et sont attribuables à des causes aussi nombreuses que variées. Rien ne peut remplacer le diagnostic d'un spécialiste, non plus que les traitements qu'il décidera de donner à son patient.

Toutefois, dans des cas mineurs comme les irritations dues à la pollution, à certaines allergies bénignes, à un éclairage incorrect, à des stations prolongées devant le moniteur de l'ordinateur, à de longues séances devant l'écran de télévision, les bains d'yeux ont toujours leur place. Préparez une solution avec 15 ml (1 c. à table) de vinaigre dans 250 ml (1 tasse) d'eau.

Et cætera

Quelques autres usages thérapeutiques.

COUPS DE SOLEIL

Qui n'a succombé à la tentation d'un bain de soleil prolongé qui l'a laissé rouge de la tête aux pieds? À la condition de ne pas avoir de cloques, il faut prendre un bain à l'eau tiède dans laquelle on aura versé 150 ml (10 c. à table) de vinaigre de cidre de pommes. Il est de plus recommandé d'appliquer du vinaigre de cidre de pommes aux fleurs ou aux pétales séchés de roses rouges.

Vinaigre aux pétales de roses

Je conseille d'en garder dans sa pharmacie,
car on ne sait jamais quand on va se brûler.

50 g (1¾ oz) de pétales de roses (rouges de préférence)
60 ml (¼ de tasse) d'eau distillée
500 ml (2 tasses) de vinaigre de cidre

Faire sécher les pétales de roses à l'ombre pendant 24 heures, de manière à leur enlever toute humidité. Mettre les pétales dans un bocal avec couvercle. Faire chauffer l'eau et le vinaigre à 20 °C (68 °F). Verser le mélange chaud sur les pétales de roses. Bien sceller le bocal et laisser macérer trois semaines. Filtrer et garder dans de jolies petites bouteilles.

Mode d'emploi

Imbiber un tampon ou une ouate de ce vinaigre, et tamponner la partie brûlée à intervalles assez rapprochés.

BRÛLURES

Dans le cas de brûlures bénignes, on peut rincer la partie affectée à l'eau froide, puis l'asperger avec un peu de vinaigre de cidre aux pétales de roses rouges (Voir page 166). Le soulagement ne tardera pas.

On devrait toujours avoir dans sa pharmacie un vinaigre aux pétales de roses rouges. Ainsi, si on a le malheur de se brûler, on n'a pas à s'affoler pour trouver un remède adéquat.

PIQÛRE DE MÉDUSE

Parodiant une pub qui a eu un grand effet, *ne partez pas sans lui!* En effet, ne partez pas en voyage ou en excursion de chasse ou de pêche sans avoir, dans votre trousse de premiers soins, une petite fiole de vinaigre de cidre non dilué et une autre bouteille d'eau vinaigrée. Ainsi, vous serez bien prémuni au cas où, au bord de la mer, vous subiriez la douloureuse piqûre d'une méduse dont le venin donne des effets secondaires immédiats – nausées, maux de tête, frissons, parfois même des problèmes cardio-vasculaires pouvant entraîner la mort. N'hésitez pas à appliquer votre vinaigre, non dilué, directement sur la morsure!

Des résultats positifs ont été confirmés et le procédé a été approuvé et utilisé par le Collège de pharmacie et de sciences médicales du Massachusetts. Même actuellement, le journal médical d'Australie recommande d'arroser immédiatement la piqûre avec du vinaigre non dilué.

PIQÛRES D'INSECTES ET VENIN

À toutes les heures, frictionnez les démangeaisons causées par l'herbe à poux ou les piqûres d'insectes avec une solution faite de parties égales de vinaigre de cidre de pommes et d'eau.

Il en est de même pour toutes les piqûres ou morsures de moustiques qui, par nuées, nous harcèlent, nous exaspèrent et gâchent notre plaisir : maringouins, brûlots, abeilles, guêpes, etc. Dès que l'on sent sur sa peau l'aiguillon d'une de ces indésirables bestioles, il faut frotter la région atteinte avec du vinaigre de cidre pur, c'est-à-dire non dilué. Voilà pourquoi je préconise de ne jamais aller en voyage sans ce précieux produit, que ce soit dans nos campagnes, nos forêts ou à l'étranger. Une petite fiole dans le sac d'utilités, ça ne pèse pas lourd...

PLAIES ET AUTRES PETITS BOBOS

Le vinaigre de cidre de pommes est fameux pour désinfecter les petites plaies. Badigeonnez directement la partie blessée avec du vinaigre légèrement réchauffé.

DERNIÈRES RECOMMANDATIONS

Comme vous avez pu le constater tout au long de ce chapitre, je vous ai proposé des recettes de vinaigres aromatisés pour servir à des fins thérapeutiques ou esthétiques.

Certains conseillent de faire bouillir le vinaigre ainsi obtenu avant de le mettre en pots. Personnellement, je le déconseille, parce que ce procédé va pasteuriser le vinaigre, donc, lui enlever, en même temps, beaucoup de ses propriétés thérapeutiques et nutritives. Or, le but de ces vinaigres, c'est justement de conserver ces vertus.

Ce sur quoi j'insiste, toutefois, c'est de bien laver vos pots, de bien les stériliser et de les sceller parfaitement une fois remplis.

Pour les vinaigres aux plantes qui demandent une macération, on a le choix, une fois cette étape franchie, de laisser les herbes dans le liquide ou de les enlever. Il peut arriver que la mère vinaigre se soit agglutinée sur les herbes. Ce n'est pas très esthétique, cela présente même un liquide brouillé, mais cela n'altère en rien votre vinaigre. À vous de voir ce qui vous convient le mieux.

CHAPITRE XIII

Un espoir pour l'arthrite

Si l'arthrite vous fait souffrir,
peut-être me répondrez-vous comme Germaine
quand j'ai pris de ses nouvelles.

— Ah! M'en parle pas! J'ai mal partout. Et je suis toujours fatiguée! Le rhumatologue que j'ai vu me dit que je fais de l'arthrite. C'est bien beau ça, mais tout ce qu'il me donne ce sont des acétaminophènes. À la fin de ma visite à son bureau, il m'a dit comme ça: *La médecine n'a pas grand-chose à offrir aux arthritiques, malheureusement. Il y a des anti-inflammatoires, c'est vrai, mais avec des effets secondaires indésirables qui peuvent mener à des problèmes sérieux. À part ça...* Il y a des fois où j'ai tellement mal au bas du dos, quand ce n'est pas au cou, même aux doigts! Je te dis! Et j'ai l'impression que les gens ne me comprennent pas. Personne n'a idée de la souffrance des arthritiques.

De retour chez moi, j'ai réfléchi à tout ça. J'ai revu en pensée le triste défilé de ces patients souffrants et parfois déprimés. En tant que naturopathe profondément engagée dans le processus d'une alimentation saine, je me suis dit que je me devais de partager mes connaissances, mes propres observations et expériences non seulement avec mes patients, mais avec un plus grand nombre de personnes.

J'invite cependant tous et chacun à consulter leur médecin dans des cas bien précis avant d'apporter des changements importants à leur diète.

Cela dit, il faut bien l'admettre, et l'anecdote qui précède le met en évidence : la médecine actuelle n'a rien trouvé, à ce jour, pour venir à bout de toutes ces lésions articulaires d'origine inflammatoire dont souffrent un nombre surprenant de personnes de tous âges. On prescrit des anti-inflammatoires, on donne des injections de cortisone, on met certains patients sur des séances d'expérimentation qui durent parfois des années, on procède à des chirurgies, bref, quel que soit le traitement, la vie n'est pas rose tous les jours pour ces infortunés. Pensons-y ! Il se dépense annuellement, par les arthritiques qui sont prêts à tout pour être soulagés de leur mal, des milliards de dollars en toutes sortes de médicaments et de cures soi-disant miracles, qui les laissent chaque fois un peu plus déçus.

J'en conviens. L'arthrite – je devrais écrire les arthrites puisqu'il y en a plusieurs – est restée, malgré d'intenses recherches, un mal bien mystérieux.

Toutefois, on en sait un peu plus sur les causes et, en l'absence de médicaments efficaces et sécuritaires – c'est-à-dire sans effets secondaires nuisibles – il y a des moyens simples et naturels d'apaiser les douleurs et parfois même de diminuer l'intensité de la maladie. Mais n'allons pas trop vite ! La plus grande prudence s'impose.

Couper le mal à la racine

Au temps où je faisais mes études en naturopathie, j'ai eu l'occasion de lire *Arthritis and Folk Medicine* écrit par le docteur D.C. Jarvis, M.D., renommé pour sa foi dans la médecine douce et le traitement des maladies avec des moyens naturels, et un pionnier dans la promotion du vinaigre de cidre de pommes. Il a sa théorie concernant l'arthrite, une théorie qui m'a beaucoup fascinée. Il avance qu'une des raisons pour lesquelles la médecine n'accorde pas toujours à l'arthrite toute l'attention qu'elle nécessite, c'est que *ce n'est pas une maladie contagieuse et qu'elle cause très rarement la mort de ses victimes.* Je suis tentée de reproduire une de ses réflexions dont je vous donne ici une traduction.

«Je suis convaincu que le docteur de l'avenir sera non seulement un praticien mais aussi un professeur. Sa principale occupation sera d'enseigner aux gens comment être en santé. Alors, les médecins seront encore plus occupés, parce que cela demande plus de temps de garder les personnes en bonne santé que de simplement tenter de les aider à surmonter une maladie.»

D.C. Jarvis, M.D.

J'entendais hier une nouvelle passablement décourageante concernant les médecins qui boudent la rhumatologie. Dans notre pays, ils sont de plus en plus rares, les rhumatologues. Et pourquoi, pensez-vous?

Pour avoir recueilli les propos de quelques-uns de ces spécialistes, je crois que je puis risquer une réponse: dans le traitement de l'arthrite – ou du rhumatisme comme l'on disait autrefois – ils se butent à un mur de mystère, et les plus ouverts, les plus clairs, admettent que les ressources à leur disposition sont rarissimes. J'en ai même connu un qui, osant faire abstraction de ses connaissances en médecine actuelle, a prescrit à une de mes parentes tout un protocole d'oligo-éléments qui, après trois mois, lui ont apporté un soulagement remarquable.

Mettant l'accent sur l'importance de la *prévention*, le docteur Jarvis fait aussi la démonstration que l'ajout du vinaigre de cidre de pommes dans l'alimentation est d'une grande importance.

C'est ce à quoi je veux en venir. Si les remèdes efficaces sont rares ou encore s'ils viennent avec des effets secondaires non désirables, il y a toujours bien la prévention et c'est là que le vinaigre de cidre de pommes s'avère précieux.

À mon avis, il est nécessaire de mettre toutes les chances de son côté pour prévenir la maladie, et il est inutile, en effet, de s'occuper du problème sans s'attaquer d'abord à la cause – ou plutôt aux causes. Car elles sont nombreuses.

Mentionnons a priori les changements brusques, parfois même extrêmes, de TEMPÉRATURE dans certaines parties du globe, auxquels certains sujets sont plus sensibles que d'autres.

Il peut y avoir aussi des DISPOSITIONS HÉRÉDITAIRES que l'on peut réduire en changeant notre façon de vivre et en contrôlant davantage notre poids.

Il y a le STRESS.

Il y a l'ALIMENTATION la plupart du temps déficiente, non à cause du manque mais plutôt à cause de la surabondance. Grâce aux moyens de transport et aux méthodes de réfrigération modernes, le monde est devenu tellement petit que nous pouvons avoir, sur une même table, des fruits et des légumes venus de partout, même des viandes, des poissons et des crustacés! Le choix que nous faisons parmi cette variété considérable n'est pas toujours à l'avantage de notre santé.

Et puis, il y a les HABITUDES ALIMENTAIRES dont nous avons hérité d'un temps où, pourtant, on n'avait pas le même style de vie, n'est-ce pas? Un homme qui se levait aux aurores mangeait volontiers, avant de partir travailler aux champs, un déjeuner copieux, plein de protéines. Nous n'avons plus besoin de cela aujourd'hui, et pourtant, nombreuses sont les personnes qui poursuivent dans cette veine. Je l'ai observé souvent, surtout dans les endroits de villégiature où, parce qu'on est en vacances, on croit qu'il n'y a pas de limites à ses fantaisies.

Enfin, dernier élément et non le moindre, l'EAU DURE et toutes les boissons qui ont pour base de l'eau dure, qui contient du chlore et du calcaire. Or – on en a maintenant la certitude – plus l'eau est *douce*, plus elle est capable de transporter les impuretés et de les expulser de l'organisme.

Mais, me direz-vous, comment obtenir de l'eau douce si on ne la trouve même pas en bouteille? Si! On la trouve. C'est de l'eau distillée et de l'eau osmose inversée, qu'on peut acheter un peu partout. On peut même, à partir de l'eau du robinet, obtenir de l'eau presque douce si on prend la peine de la filtrer au moyen de filtres qu'on peut trouver dans la plupart des magasins. Ils ne garantissent pas d'en extraire tout le calcaire, mais une partie, en plus de la débarrasser du chlore et du plomb.

Le vinaigre de cidre au secours des arthritiques

Mais se mettre à boire de l'eau douce régulièrement n'est pas suffisant. Il faut plus que cela pour dissoudre et chasser les dépôts calcaires accumulés depuis tant d'années dans la plupart des cas. En effet, si bénéfique soit-il, s'il n'est pas bien assimilé, le calcium peut causer plus de mal que de bien. Pour en permettre l'assimilation maximale et ainsi éviter la formation de dépôts calcaires, et dans les cas où, hélas, le mal est fait, pour aider à la dissolution des dépôts de calcium, il existe un liquide légèrement acidulé, agréable au goût et très rafraîchissant, et c'est le vinaigre de cidre de pommes artisanal. Pourquoi? Parce qu'il contient de l'acide acétique.

Quel merveilleux tandem: à cause de l'acide acétique qu'il contient, le vinaigre sert à dissoudre les dépôts calcaires, et l'eau sert à le transporter et à le rejeter hors de l'organisme.

Dans son traité intitulé *Une grande découverte*, publié en 1982 chez Éditions Enoch, Jean-François Couture écrit, en page 81:

«[...] le calcium insoluble peut être remis en solution s'il rencontre un milieu acide et par cet état soluble il quitte les tissus ou les jointures sur lesquels il s'était précipité!»

Je crois que c'est une affirmation qu'il faudrait apprendre par cœur! En plus de s'occuper du calcium, le vinaigre contient un taux élevé de potassium qui rend les ligaments articulaires souples et élastiques. Quant au système digestif, il y fait des merveilles et il a une action bénéfique sur les intestins. Quand on sait à quel point la constipation peut être nocive à un arthritique, cette propriété n'est pas à dédaigner.

L'utilisation du vinaigre de cidre pour lutter contre les douleurs arthritiques et d'autres maladies n'est pas une découverte du XXᵉ siècle. Cette pratique remonte à des temps immémoriaux. J'ai déjà abordé le sujet dans un chapitre précédent. Ce que j'aimerais, ce serait plutôt informer sur son mode d'emploi avec des exemples.

Il y a des personnes qui ont témoigné qu'*une cuillerée à table de vinaigre de cidre de pommes* dilué dans un peu d'eau, avalée avant chaque repas, leur a fait un grand bien.

Pour d'autres, le vinaigre de cidre de pommes a été utilisé comme traitement externe, particulièrement pour calmer ou même faire disparaître, au moins momentanément, la douleur logée dans les articulations, au bas du dos, au cou ou ailleurs. Par exemple, *un bain d'eau chaude additionnée d'une bonne tasse de vinaigre de cidre de pommes* s'avère très relaxant, apaisant et, par conséquent, diminue le mal. Il faut profiter du temps où nous sommes dans ce bain pour effectuer de petits massages aux points sensibles. Après un tel traitement, on peut être assuré d'un bon sommeil. On peut aussi envelopper une ou des articulations touchées avec *une compresse qui a été préalablement trempée dans cette solution.*

Tous ces petits conseils vous apporteront un allègement important de la douleur. Je le répète : il faut persévérer dans cette bonne habitude, car c'est par accumulation que les doses de vinaigre de cidre de pommes vont démontrer leur pouvoir curatif. Il faut dire que le vinaigre de cidre de pommes fournit à l'estomac l'acide nécessaire à la bonne digestion, et puisqu'il est désormais reconnu que c'est dans l'estomac que commence le traitement de l'arthrite, on fait donc d'une pierre deux coups. Je me permets d'insister sur un autre point : le procédé ci-dessus peut contribuer à faire fondre les dépôts calcaires qui sont la cause d'articulations douloureuses.

Dans un autre chapitre, on peut trouver d'autres modes d'emploi efficaces, des posologies plus précises, car il est souhaitable de consommer des doses raisonnables d'un produit aux bienfaits extraordinaires.

Je n'irai pas jusqu'à garantir que le vinaigre de cidre artisanal guérit l'arthrite. Ce que je puis garantir, cependant, c'est qu'il *peut* guérir l'arthrite et que son absorption et son usage externe, comme partie d'un programme pour une vie plus saine, apporteront des soulagements remarquables.

Erreurs à éviter

La SURALIMENTATION. La consommation excessive de sucre raffiné. L'alcool. Le thé. Le café. Le chocolat. L'excès de viandes, protéines qui surmènent l'appareil digestif et que les arthritiques ont bien de la misère à métaboliser.

La CONSTIPATION. Les déchets qui ne s'éliminent pas avec facilité sont extrêmement néfastes pour la santé.

L'association de la POMME DE TERRE avec de la viande au même repas. Ces deux aliments forment une combinaison parfaite pour créer des putréfactions et de l'acide urique.

Moyens à prendre

CORRIGER LES ERREURS ALIMENTAIRES. Le plus difficile, ce n'est pas de changer ses habitudes alimentaires, c'est d'accepter de les changer, de faire un premier pas. Quand ça fait vingt, trente ans qu'on accomplit la même action, qu'on se nourrit de la même manière, notre corps s'est habitué et, le fait est bien connu, les mauvaises habitudes ont la vie dure. Toutefois, changer ses habitudes, c'est possible, surtout lorsque vous envisagez la perspective d'être soulagé.

Recherchez et ajoutez à votre diète BEAUCOUP D'ALIMENTS VIVANTS, le plus naturels possible, et évitez les produits trop raffinés que l'organisme a bien de la peine à assimiler, à transformer et à éliminer. Comblez les carences minérales pour rééquilibrer votre système afin de NOURRIR VOS OS.

NETTOYEZ LES DÉCHETS ACIDES de toutes sortes qui traînent partout dans votre organisme, purifiez le terrain, prenez soin de vos reins, donnez un petit congé à votre foie, ce merveilleux laboratoire humain.

RESPECTEZ LES COMBINAISONS ALIMENTAIRES. Cette bonne habitude peut à elle seule améliorer l'état d'un arthritique en créant le moins possible de déchets acides.

Prenez des BAINS D'ALGUES et des BAINS DE VINAIGRE DE CIDRE.

Nota bene: les algues étant la nourriture de la glande thyroïde, les personnes souffrant d'hyperthyroïdie doivent les éviter.

MASSEZ-VOUS LES MAINS ou appliquez des cataplasmes de vinaigre de cidre aux endroits douloureux.

Aliments recommandés

Voici une sélection très intéressante d'aliments qui devraient faire partie de l'alimentation d'un arthritique pour des résultats très encourageants.

JUS FAITS À L'EXTRACTEUR. Ils sont des reminéralisants par excellence. En consommer est comparable à mettre de l'engrais dans une plante. Les personnes arthritiques devraient boire des jus de carottes, de céleri et de pomme jaune, tous les jours.

CÉLERI. C'est l'aliment vraiment le plus recommandé car il régularise les fonctions rénales.

FRUITS OLÉAGINEUX NON GRILLÉS. Amandes, noisettes, pistaches, etc. Ce sont des aliments très nutritifs.

POMME DE TERRE. Un aliment alcalin. N'en déplaise à monsieur Montignac, il est très efficace dans le traitement de l'arthrite.

JUS DE POMME DE TERRE. Voici ce que je suggère très souvent aux arthritiques. Épluchez une pomme de terre, lavez-la soigneusement et mettez-la dans votre extracteur à jus. Ce jus n'est pas agréable au goût, mais il agit comme une éponge en absorbant les acides en trop.

Je recommande le PETIT LAIT DE CHÈVRE (lactosérum de chèvre) et le POLLEN d'abeilles.

Pour conclure, les quatre aliments suivants sont particulièrement recommandés aux arthritiques : le vinaigre de cidre artisanal, les algues, le petit lait de chèvre et le pollen d'abeilles.

Aliments à éviter

La charcuterie. Les abats. L'avoine – à proscrire parce que trop acidifiante.

Plantes

À intégrer dans sa diète en concentrés liquides, en gélules, en comprimés ou en infusions.

La busserole. L'achillée millefeuille. Le tilleul sauvage et le fameux radis noir qui vont décongestionner et nettoyer les reins et la vésicule biliaire.

La teinture d'ortie, une plante que j'affectionne vraiment, et que je conseille aux gens qui ont un besoin extrême de se reminéraliser. Elle est extraordinaire pour les personnes atteintes d'arthrite ou de goutte. Grâce à sa richesse en silice, elle nettoie l'organisme, chassant comme d'un coup de balai le surplus d'acide urique. C'est un puissant désinfectant et un puissant reminéralisant.

La bardane, qui nettoie les muscles, élimine les substances acides et ainsi décongestionne les reins.

La prêle, riche en silice. La silice nourrit les os et favorise une meilleure assimilation du calcium.

La reine-des-prés. Antirhumatismale, diurétique, cette plante aide à une bonne élimination de l'acide urique et des autres déchets.

Le houblon, qui est diurétique et qui élimine l'acide urique. Il apaise aussi les douleurs de l'estomac dues à un excès d'acidité.

La racine de réglisse, la griffe du diable et la griffe de chat sont trois plantes anti-inflammatoires. Elles renforcent les glandes surrénales souvent fatiguées chez les arthritiques et, ainsi, elles facilitent la production de la cortisone naturelle.

Les exercices physiques

Les arthritiques doivent s'adonner à des exercices physiques afin d'oxygéner chacune des cellules du corps. Il est bon de se confier à un professionnel. Il existe des cours pour les personnes rendues au midi de la vie et après, mais les exercices que je recommande le plus fortement, ce sont les étirements. Si vous les pratiquez tous les jours, les résultats seront étonnants même après quelques semaines.

CHAPITRE XIV

Des réponses à vos questions

Voici des réponses aux interrogations le plus fréquemment rencontrées lorsque vous commencez à utiliser le vinaigre de cidre de pommes artisanal.

Comment choisir un bon vinaigre?

Si vous voulez utiliser le vinaigre de cidre à des fins théra-peutiques, il est primordial qu'il soit fabriqué de façon artisanale, c'est-à-dire qu'il ait fermenté toute une année dans les barils de chêne. De cette façon, vous pourrez profiter de tous les éléments nutritifs qu'il contiendra soit, entre autres, la mère vinaigre et une grande quantité d'enzymes. Il ne doit pas être filtré, ni pasteu-risé, mais d'une couleur doré clair et limpide. Son pourcentage d'acide acétique ne doit pas dépasser 4,5 %.

Quelle est la façon idéale de consommer le vinaigre de cidre?

La façon idéale de consommer du vinaigre de cidre de pommes, c'est avec de l'eau douce, c'est-à-dire de l'eau pure, par opposition à de l'eau dure. Je vous suggère de visiter les marchands d'eau afin d'obtenir toute l'information dont vous avez besoin concernant l'eau.

L'eau distillée, ou osmose inversée, vient au premier rang quand il s'agit de se soigner ou de prévenir la maladie. S'il est trop difficile, voire impossible, de se procurer une de ces eaux, il ne faut pas se priver de consommer du vinaigre de cidre pour autant. On peut filtrer l'eau du robinet – plusieurs appareils destinés à cet usage sont disponibles sur le marché – ou encore faire bouillir l'eau du robinet pendant quinze minutes et la refroidir au réfrigérateur. Ce n'est pas l'idéal, mais c'est mieux que rien. On peut aussi remplacer l'eau par du jus, mais méfiez-vous des jus acides, des jus industrialisés à haute teneur en sucre ou encore des «boissons» à saveur de fruits. Utilisez plutôt des jus purs et naturels de pêches, de raisins ou de canneberges, ou encore des jus de pommes fraîchement pressés. Quant à moi, je privilégie de beaucoup l'eau au jus et la qualité de l'eau constitue un facteur extrêmement important pour atteindre son but.

Il suffit de remplir un contenant de 1½ L (6 tasses) avec une bonne eau et d'y rajouter de 15 à 60 ml (1 à 4 c. à table) de vinaigre de cidre, ou comme recommandé ci-dessous. Si vous êtes fragile, mettez-en moins et augmentez petit à petit. C'est à vous de choisir la dose idéale.

Voici toutefois quelques indications utiles.

Si vous voulez l'utiliser à titre PRÉVENTIF ou comme SUPPLÉMENT NUTRITIF, au lieu de 45 à 60 ml (3 à 4 c. à table), 15 à 30 ml (1 à 2 c. à table) suffisent.

Si vous souffrez d'ARTHRITE, de quelque autre TROUBLE PATHOLOGIQUE, ou si votre taux de CHOLESTÉROL est trop élevé, 45 à 60 ml (3 à 4 c. à table) représentent une bonne proportion.

Si vous êtes sans cesse PRESSÉ PAR VOS AFFAIRES, un verre d'eau vinaigrée au besoin est bénéfique.

Si vous avez beaucoup de DIFFICULTÉ À DIGÉRER, 1 c. à table de vinaigre de cidre de pommes dans un verre d'eau, avant ou après chaque repas, vous sera d'un grand secours. Jugez-en par vous-même.

Bref, l'important, c'est de prendre régulièrement votre vinaigre avec une bonne eau.

Doit-on le conserver au réfrigérateur?

Établissons ceci: le vinaigre est un agent de conservation en soi, il n'est donc pas nécessaire de le conserver au réfrigérateur. Par contre, s'il est entreposé au froid, la mère vinaigre se reformera plus lentement dans votre bouteille.

Combien de temps peut-on conserver le vinaigre chez soi?

Comme le vinaigre est un agent de conservation, il reste bon très longtemps. Toutefois, je conseille de l'utiliser en deçà d'un an et demi, pour son maximum d'efficacité.

Le vieillissement du vinaigre dans votre bouteille lui donne une couleur plus foncée et un goût plus amer, ce qui ne lui enlève, cependant, aucune propriété. Avec le temps, le vinaigre devient moins actif puisque la mère vinaigre ne se régénère plus.

Mon vinaigre a gelé. Est-il encore bon?

Il est certain que votre vinaigre a perdu de ses qualités, le gel l'ayant, en quelque sorte, pasteurisé. Mais ne le jetez pas pour autant, il pourra toujours rehausser vos mets, même pour un repas gastronomique!

J'aime prendre ma dose de vinaigre dans une tisane chaude. Est-ce que je fais bien?

N'oubliez surtout pas que votre vinaigre est un aliment vivant et qu'en l'incorporant à une tisane chaude, vous tuez pratiquement toutes les enzymes qu'il peut contenir.

Pourquoi ne pas le prendre dans une tisane refroidie, à la manière d'un thé glacé; vous bénéficierez ainsi des bienfaits de la plante et de ceux du vinaigre de cidre artisanal.

Puis-je prendre du vinaigre de cidre en même temps que mes médicaments?

Demandez d'abord l'avis de votre médecin ou de votre pharmacien. Ces derniers sont en mesure de vous signaler les effets secondaires éventuels ou même la contre-indication de prendre du vinaigre de cidre en même temps que vos médicaments.

Quoi qu'il en soit, si votre médecin ou votre pharmacien vous autorisent à prendre du vinaigre de cidre, il est préférable d'attendre une demi-heure ou une heure après avoir pris votre médication pour prendre une dose de vinaigre. Cette précaution est importante.

En fait, on doit toujours être à l'écoute de son corps lorsque l'on prend des médicaments ou que l'on ajoute un élément nouveau à sa diète. Certaines personnes sont plus fragiles que d'autres aux changements. Je vous recommande donc de très petites doses au début, et à mesure que le bien-être se fera sentir, vous pourrez les augmenter graduellement, tout simplement.

Le miel, le vinaigre et l'eau chaude, est-ce un bon mélange?

Les opinions divergent parfois sur la façon de prendre le vinaigre de cidre de pommes. Certains préconisent une solution de vinaigre et d'eau chaude à laquelle on a ajouté du miel. Pour commencer, je m'oppose formellement à l'eau chaude et, sauf pour de très rares exceptions, je déconseille vivement l'ajout de miel. Et je m'explique...

Primo, l'eau chaude détruit les enzymes, ce qui équivaut à dire qu'elle tue la vie dans le vinaigre.

Secundo, le miel est un sucre. Or, n'importe quel sucre rajouté à du vinaigre fermente, avec pour effet de provoquer des gaz, des ballonnements, bref, des problèmes intestinaux et digestifs.

Enfin, examinons la logique de la chose. On prendrait du sucre – qui favorise l'acide urique dans l'organisme – et du vinaigre pour l'éliminer? À mon avis, il y a là une jolie contradiction.

J'admets qu'à son époque, le docteur Jarvis, cet excellent médecin vermontois qui a tant fait pour aider les arthritiques, conseillait la méthode vinaigre, eau chaude, miel. Mais depuis, nous avons assisté à une évolution remarquable de la science et nous en sommes arrivés à une conclusion contraire concernant l'association du vinaigre et du miel; c'est important de l'avoir toujours présente à l'esprit.

J'aime le prendre avec du sirop d'érable! Est-ce une bonne idée?

Le vinaigre ne doit pas être pris avec des sucres, qu'ils soient naturels ou pas (miel, sirop d'érable, sucre blanc, etc., encore moins dans une boisson gazeuse!), et cela, pour les mêmes raisons que celles énoncées à la réponse précédente.

Est-il vrai que le vinaigre se conserve mieux dans une bouteille foncée?

Que votre vinaigre soit dans une bouteille transparente ou foncée, à long terme, sous l'effet des rayons lumineux, votre vinaigre s'altérera quelque peu.

Mais ne paniquez pas! Mettez tout simplement votre bouteille, transparente ou pas, dans un sac de papier brun ou dans votre armoire, et le tour est joué. Ainsi vous vous assurerez de ne pas perdre les vertus que peut contenir votre vinaigre.

Personnellement, je préfère acheter mon vinaigre dans des bouteilles transparentes puisque je peux immédiatement en vérifier la couleur et la vivacité de sa mère vinaigre; ces deux éléments me permettront de juger de la qualité du produit. Qu'il soit préférable d'acheter son vinaigre dans une bouteille foncée est une affirmation absolument «non fondée», car il n'existe aucune bouteille foncée qui neutralise complètement les rayons lumineux.

Je viens d'acheter du vinaigre et le dépôt est de couleur brun foncé, est-ce normal?

Non, votre mère vinaigre est sans aucun doute morte; c'est ce qui se produit lorsque le vinaigre n'a pas eu une bonne fermentation ou lorsqu'il a été produit avec une matière de base de piètre qualité.

Je vous suggère de le garder pour laver vos vitres.

Si j'achète un gallon de vinaigre, dans quel contenant dois-je le transférer pour en faciliter l'utilisation?

Je suggère de préférence un contenant de verre stérilisé qui ferme hermétiquement. Évitez les bouchons de liège car ils prennent l'air et les couvercles métalliques car ils s'oxydent. Je déconseille fortement les contenants de plastique.

J'ai acheté un vinaigre dans un verger et le vendeur m'a dit que son vinaigre était vieux de 5 ans, donc une mère vinaigre de meilleure qualité.

Je n'ai pu retenir mon fou rire...

Un vinaigre, ce n'est pas du vin. Un bon maître-vinaigrier vous dira qu'après un an, le vinaigre a atteint sa parfaite maturité. À partir de ce moment-là, comme la mère vinaigre n'a plus d'alcool pour se nourrir, elle se nourrira des enzymes de son propre vinaigre. Soyez prudent, il y a des charlatans dans tous les domaines.

Dans ma bouteille, la mère vinaigre grossit de plus en plus... que dois-je faire?

Une fois le vinaigre embouteillé, la mère vinaigre, cette masse gélatineuse, joue un rôle tout à fait différent de celui qu'elle jouait dans les foudres. Cette fois, elle se nourrit des nombreuses enzymes qui vivent dans votre bouteille. C'est pourquoi elle grossit de mois en mois. Cette petite merveille devient un entrepôt d'éléments nutritifs très riches. De grâce, ne la jetez pas! À ce compte, l'évier serait mieux nourri que vous.

Vous n'avez tout simplement qu'à couler votre vinaigre avec un tamis (mettez la substance gélatineuse de côté pour en faire une vinaigrette des plus nutritives) et une autre mère vinaigre se reformera avec le temps dans votre bouteille. N'oubliez pas que vous avez un aliment vivant entre les mains!

À quel âge peut-on commencer à prendre du vinaigre de cidre?

Des personnes de tous âges peuvent consommer du vinaigre de cidre de fabrication artisanale et en retirer des bienfaits. Pour les bébés, je conseille une goutte sur leurs légumes. Quant aux enfants en général, ils aimeront davantage les petites trempettes si vous y ajoutez quelques gouttes de vinaigre. En ce qui concerne les personnes très sensibles ou fragiles, je leur recommande de commencer avec de petites doses et d'augmenter graduellement.

Est-il préférable d'arrêter de prendre du vinaigre de cidre de temps en temps?

Bien sûr, si vous en ressentez le besoin. Quelles que soient les raisons pour lesquelles vous preniez du vinaigre de cidre, il faut d'abord et avant tout que vous écoutiez votre corps.

Pour briser la monotonie, vous pouvez alterner avec des plantes, du pollen, de la gelée royale. Il est bon d'aller chercher la force nutritive de chacun. Je connais une dame qui prend sa petite dose de vinaigre à l'année et, pour elle, il est son élixir pour la vie. Chaque personne est unique.

Comment trouver du vinaigre de cidre sans acide acétique?

Il n'existe aucun vinaigre sans acide acétique. L'acide acétique est la «chimie» du vinaigre, c'est un très bon acide pour notre santé et c'est grâce à lui que le vinaigre de cidre nous est bénéfique au niveau thérapeutique.

En combien de temps vais-je ressentir des résultats?

Il y a des gens qui veulent un miracle du jour au lendemain! Je leur demande de se rappeler souvent que leurs artères ne se sont pas bloquées du jour au lendemain et que l'arthrite, comme plusieurs autres maladies, a mis des années à s'installer dans leur système. Il faut accepter de donner au corps le temps de s'apprivoiser à cet aliment thérapeutique des plus fabuleux.

Plusieurs personnes ont connu de bons résultats après seulement deux jours, d'autres, après une semaine; certaines personnes ont du persévérer un mois avant d'en ressentir des effets bénéfiques. Tout ce que je puisse faire c'est de vous souhaiter d'en connaître les bienfaits le plus tôt possible, mais il faut savoir être aussi patient que son corps.

Je souffre d'acidité, est-il logique que je prenne du vinaigre?

Vous avez tout à fait raison de vous poser la question. Bien que le vinaigre soit acide au goût, je l'admets, il n'est toutefois pas ACIDIFIANT pour l'organisme. Au contraire, les minéraux alcalins du vinaigre viendront absorber votre surplus d'acididé; c'est ce que l'on appelle «le système tampon», il agit comme une éponge. L'acide acétique est un acide très bénéfique pour le corps, c'est l'un des éléments les plus efficaces pour dissoudre les dépôts calcaires.

Allez-y doucement au début, diluez le vinaigre dans une bonne eau, et vous neutraliserez cette acidité qui vous ronge la vie depuis longtemps.

En conclusion

À la condition que le vinaigre de cidre de pommes que vous consommez ait été fabriqué de façon artisanale, il n'y a aucun danger à en consommer journellement, même pendant de longues périodes, puisque c'est un aliment! Mais il ne suffit pas que ce soit un aliment, car il y a des aliments vides ou nocifs. Ce qui rend le vinaigre de cidre de pommes si précieux, c'est qu'il rééquilibre le métabolisme du corps, contribuant ainsi au maintien d'une bonne santé. Ces vertus sont connues depuis toujours.

On le répète, et c'est vrai pour toutes sortes de produits: la modération, dans la consommation, est toujours de mise. Il ne faut pas oublier, après tout, que la clef du succès sur la voie d'une meilleure santé, ce n'est pas la quantité, c'est l'assiduité! Trois à quatre cuillerées à table par jour de cet excellent vinaigre, mais toujours dilué selon les recommandations, sont tout à fait suffisantes. De toute façon, le corps en rejetterait l'excédent.

CHAPITRE XV

Recettes

Ce chapitre vous révélera quelques secrets culinaires.
Je remercie très chaleureusement Louis Tremblay
et toutes les personnes qui ont accepté de partager
leurs recettes pour le bénéfice de mes lecteurs.
J'en ai ajouté quelques-unes de mon crû.

La notation  qui suit le titre d'une recette
indique que cette recette m'a été gracieusement
fournie par Louis Tremblay, le chef et propriétaire
du réputé restaurant *Les Quatre Feuilles*,
situé dans la belle ville de Rougemont.

AMUSE-GUEULES

Avocat et framboises

1 avocat
Vinaigre de cidre de framboises

Couper l'avocat en deux et enlever le noyau.
Dans chaque cavité, verser du vinaigre de cidre
de framboises. Déguster à la cuillère.

Betteraves crues râpées

3 betteraves crues râpées
75 ml (5 c. à table) de persil frais haché
1 gousse d'ail émincée
30 ml (2 c. à table) de vinaigre de cidre
90 ml (6 c. à table) d'huile d'olive de première pression
Sel et poivre
20 ml (4 c. à thé) de crème sûre
Un peu de ciboulette fraîche, hachée

Bien mélanger tous les ingrédients
et placer au réfrigérateur.

Œufs durs dans le vinaigre de cidre

Des œufs durs
Du vinaigre de cidre de pommes dilué avec ⅓ d'eau
Estragon en branches, au goût
Quelques grains de poivre

Mettre les œufs durs écalés dans un bocal,
avec une branche d'estragon (ou plus) et le poivre.
Couvrir de vinaigre de cidre de pommes dilué.
Fermer le bocal.

Trempette à la mère vinaigre

Comme rien ne se perd, surtout pas lorsqu'il s'agit d'un trésor, quand on a décidé de filtrer la mère vinaigre au travers d'un tamis, on ne la jette pas! Non! non! non! On la passe au robot culinaire et on lui ajoute quelques légumes cuits tels que carottes, céleri, navet, ail, les légumes préférés, en somme, et on en fait une sauce qui peut servir pour les salades ou comme trempette. On s'en doute... Cette sauce sera pleine de vie!

Trempette de Georgette Labelle
Saint-Jean-sur-Richelieu

> *60 ml (¼ tasse) de mayonnaise*
> *30 ml (2 c. à table) d'huile d'olive pressée à froid*
> *15 ml (1 c. à table) d'herbes salées*
> *30 ml (2 c. à table) de vinaigre de cidre de pommes*

Bien mélanger tous les ingrédients et servir avec des bâtonnets de légumes au choix.

VOLAILLE

Côtelettes de poulet en salade, vinaigrette tiède à la pomme

4 portions

> *8 côtelettes de poulet*
> *60 g (¼ tasse) de pignons de pin*
> *2 pommes*
> *Laitues pour 4 personnes, comprenant une variété tendre (comme la laitue frisée) et une autre légèrement croquante (comme la romaine)*

Colorer les côtelettes assaisonnées, avec un peu de beurre et d'huile, jusqu'à ce que la chair soit croustillante, et compléter la cuisson au four pendant 10 minutes, selon la grosseur des morceaux. Faire blondir les pignons de pin quelques secondes, à la poêle anti-adhésive, saler et réserver. Laver la salade et l'assaisonner avec un peu de vinaigrette. Dans un peu de beurre fondu, faire dorer les dés de pommes, assaisonner avec la vinaigrette restante et ajouter les pignons.

Dans chaque assiette, déposer 2 côtelettes à côté du nid de salade, napper avec la vinaigrette aux dés de pommes. Parsemer de lamelles de pommes.

Vinaigrette

Bien mélanger :

> *60 ml (¼ tasse) d'huile*
> *25 ml (⅛ tasse) de vinaigre de cidre*
> *5 ml (1 c. à thé) de moutarde de Dijon*

Magret de canard printanier façon Rougemont
2 portions

2 poitrines de canard de Barbarie
2 gousses d'ail non pelées
22 ml (1½ c. à table) de gingembre frais, taillé en juliennes
1 feuille de laurier
1 brin de thym frais
1 pincée de cannelle
15 ml (1 c. à table) de sirop d'érable
50 ml (3⅓ c. à table) de vinaigre de cidre
22 ml (1½ c. à table) d'huile d'arachides
Sel et poivre au goût
2 pommes
15 ml (1 c. à table) de jus de citron
22 ml (1½ c. à table) de beurre

Saler les poitrines et les saisir dans l'huile chaude, en commençant par le côté sans peau. Les faire dorer 15 minutes au four préchauffé à 210 °C (410 °F), avec l'ail, le thym, le laurier, la cannelle et le gingembre tout autour.

Peler les pommes, les éponger, les citronner, puis les faire dorer 3 minutes dans le beurre fondu, dans une poêle anti-adhésive. Réserver au chaud.

Retirer du poêlon les poitrines cuites et dégraisser le jus de cuisson. Y ajouter le vinaigre de cidre et le sirop d'érable. Saler et poivrer. Laisser cuire à feu vif jusqu'à l'obtention d'un jus sirupeux. Passer la sauce dans un tamis fin, puis ajouter le beurre en fouettant. Réserver au chaud.

Découper les poitrines en fines lamelles et les dresser dans deux assiettes chaudes. Les entourer de la sauce, les garnir de pommes citronnées et servir.

Poulet aux herbes et au vinaigre de cidre de pommes

1 poulet de 1,350 kg à 1,800 kg (3 à 4 lb)
Feuilles de romarin, de persil, d'estragon ou des fines
herbes séchées
1 mélange de pommes de terre, de carottes, d'oignons
et de navet crus, qu'on lave et met de côté
1 gousse d'ail
Sel et poivre au goût
45 ml (3 c. à table) de vinaigre de cidre de pommes
500 ml (2 tasses) d'eau

Mettre le poulet dans un gros chaudron avec l'eau
et le vinaigre de cidre. Ajouter l'oignon en quartiers.
Mettre sur le dessus du poulet les herbes, le sel
et le poivre. Mijoter très doucement pendant quelques
heures.

Une heure avant la fin de la cuisson, ajouter les légumes
crus autour du poulet, c'est-à-dire dans le bouillon.
Au bout d'une heure, servir.

Suprême de poulet à l'érable
6 portions

> *45 ml (3 c. à table) de beurre doux*
> *5 ml (1 c. à thé) de sel*
> *2 ml (½ c. à thé) de poivre*
> *6 blancs de volaille (poitrine)*
> *60 ml (¼ tasse) d'eau*
> *125 ml (½ tasse) de sirop d'érable*
> *15 ml (1 c. à table) de vinaigre de cidre de pommes*
> *Sel et poivre au goût*

Faire fondre le beurre à feu doux. Saler et poivrer
les blancs de volaille et les faire revenir délicatement
dans le beurre environ 6 minutes de chaque côté.

Réserver au chaud. Dans la même poêle, ajouter le sirop
d'érable, l'eau et le vinaigre de cidre et laisser réduire
de moitié. Vérifier l'assaisonnement.

Dresser les blancs de volaille sur un plat de service
et napper généreusement de sauce. Si la sauce est trop
claire, l'épaissir un peu avec de la fécule de maïs.

VIANDES

Boudin aux pommes
4 portions

4 morceaux de boudin
1 noisette de beurre
2 pommes en quartiers
15 ml (1 c. à table) de vinaigre de cidre de pommes
60 ml (¼ tasse) d'eau

Faire fondre le beurre dans une poêle et y rôtir le boudin environ 10 minutes. Entourer le boudin avec les pommes, réduire le feu et poursuivre la cuisson quelques minutes.

Dresser le boudin et les pommes sur un plat de service. Déglacer la poêle avec le vinaigre de cidre et l'eau. Servir accompagné de la sauce obtenue.

Côtelettes d'agneau
aux petits oignons et au vinaigre d'érable
4 portions

> *8 côtelettes d'agneau*
> *45 ml (3 c. à table) d'huile végétale*
> *250 ml (1 tasse) d'oignons verts en morceaux de 2 cm (¾ po)*
> *250 ml (1 tasse) de petits oignons à marinade*
> *30 ml (2 c. à table) de beurre*
> *45 ml (3 c. à table) de cassonade*
> *80 ml (⅓ tasse) de vin rouge*
> *20 ml (4 c. à thé) de vinaigre d'érable (voir recette page 199)*
> *250 ml (1 tasse) de sauce demi-glace*
> *Sel et poivre au goût*

Laver et couper les oignons verts en tronçons de 2 cm (¾ po) environ. Sauter au beurre avec les oignons à marinade, une pincée de sel et la cassonade. Ajouter le vin rouge et le vinaigre d'érable. Réduire le tout à la consistance d'une marmelade. Rectifier l'assaisonnement. Réserver.

Dans le beurre clarifié, saisir vivement les côtelettes sur les deux côtés. Terminer la cuisson au four préchauffé à 190 °C (375 °F) pendant 4 minutes environ.

Réserver les côtelettes au chaud. Dégraisser le fond du poêlon et ajouter la sauce demi-glace. Assaisonner au goût.

Poser dans chaque assiette chaude un lit de compote d'oignons verts. Y déposer les côtelettes et verser le fond d'agneau autour. Dresser à côté la ou les garnitures choisies.

Vinaigre d'érable

Je conseille de toujours avoir en réserve de ce merveilleux vinaigre d'érable puisque de nombreuses recettes le requièrent.

500 ml (2 tasses) de vin blanc sec
500 ml (2 tasses) de sirop d'érable
90 ml (⅜ tasse) de vinaigre de cidre de pommes
1 noix de muscade
1 bâtonnet de cannelle
2 clous de girofle
4 baies de genièvre
8 grains de poivre

Mélanger tous les ingrédients et verser dans une bouteille de verre. Couvrir la bouteille avec un linge de façon à laisser circuler l'air mais à empêcher les poussières d'y entrer. Laisser reposer pendant deux semaines à la température de la pièce.

Escalopes de veau au vinaigre d'érable

4 portions

4 escalopes de veau de 100 g (4 oz)
Huile
Sel et poivre au goût
125 ml (½ tasse) de vinaigre d'érable (voir recette ci-dessus)
500 ml (2 tasses) de sauce brune
Crème à 35 % et beurre au goût

Colorer les escalopes de veau à l'huile dans une poêle. Saler et poivrer au goût. Retirer de la poêle et réserver au chaud.

Déglacer la poêle avec du vinaigre d'érable de façon à dissoudre les sucs caramélisés. Mouiller avec la sauce brune et ajouter la crème à la sauce.

Servir les escalopes et les napper de cette savoureuse sauce chaude.

Longe de veau de grain au vinaigre d'érable

10 portions

> 2,2 kg (4 lb, 14 oz) de longe de veau de grain
> 250 ml (l tasse) de carottes en mirepoix (en dés)
> 250 ml (l tasse) de céleri en mirepoix
> 250 ml (l tasse) d'oignons en mirepoix
> 125 ml (½ tasse) de vinaigre d'érable (voir recette page 199)
> 500 ml (2 tasses) de fond de veau
> Crème et beurre au goût
> Sel, poivre et farine au goût

Mélanger sel, poivre et farine, enrober la pièce de viande et colorer la longe à l'huile, dans une casserole allant au four. Faire cuire à l'étouffée, à couvert, au four à 190 °C (375 °F), pendant 1 h 30. Saler et poivrer la viande à mi-cuisson et ajouter les légumes en mirepoix. Retirer la viande de la casserole et la réserver au chaud.

Déglacer la casserole avec du vinaigre d'érable, de façon à dissoudre les sucs caramélisés. Mouiller avec le fond de veau. Ajouter la crème à la sauce, puis la monter au beurre, c'est-à-dire lui incorporer des parcelles de beurre froid, tout en la fouettant jusqu'à ce qu'elle soit homogène.

Servir la longe en tranches et les napper de sauce chaude.

Ragoût de bœuf de Jean Roch

6 à 8 portions

1 kg (2 lb) de bœuf en cubes
15 ml (1 c. à table) d'huile d'olive
500 ml (2 tasses) de jus de légumes
796 ml (28 oz) de tomates en dés en boîte (1)
2 branches de céleri haché
2 poivrons hachés (1 vert et 1 jaune, ou 2 jaunes, au goût)
2 gousses d'ail émincées
1 oignon haché
45 ml (3 c. à table) de sucre brun
75 ml (5 c. à table) de vinaigre de cidre de pommes
Quelques gouttes de sauce Tabasco
Sel et poivre au goût

Dans un poêlon, saisir les cubes de bœuf dans l'huile d'olive. Retirer et réserver dans un plat allant au four. Dans le même poêlon, faire revenir le céleri, les poivrons, l'ail et l'oignon pendant deux minutes.

Ajouter au bœuf. Entre temps, amener à ébullition les tomates et le jus de légumes. Incorporer le liquide chaud ainsi que les autres ingrédients au plat de viande et légumes. Cuire au four à 180 °C (350 °F) pendant une heure.

Saucisses à l'érable

4 portions

> 450 g (1 lb) de saucisses au bœuf
> 500 ml (2 tasses) de sirop d'érable pur
> 30 ml (2 c. à table) de sauce chili
> 30 ml (2 c. à table) de vinaigre de cidre de pommes
> 30 ml (2 c. à table) de sauce Worcestershire
> 1 oignon moyen tranché
> 2 ml (¼ de c. à thé) de sel
> 2 ml (¼ de c. à thé) de moutarde en poudre
> 2 ml (¼ de c. à thé) de poivre

Couper les saucisses en bouts de 5 cm (2 po) et les faire revenir à la poêle pour les colorer. Ajouter l'oignon et le faire revenir quelques secondes pour qu'il soit transparent. Ajouter le vinaigre de cidre et le reste des ingrédients. Laisser mijoter 5 minutes et servir.

POISSONS

Escalopes de saumon au vinaigre de cidre
2 portions

30 ml (2 c. à table) de cidre
10 ml (2 c. à thé) de vinaigre de cidre de pommes
1 échalote émincée
125 ml (½ tasse) de crème à 35 %
20 g (4 c. à thé) de tomates
30 g (2 c. à table) de beurre
10 ml (2 c. à thé) de vinaigre de cidre de pommes
2 escalopes de saumon frais de 120 g (¼ lb)
60 ml (4 c. à table) d'huile d'arachide
Sel et poivre au goût

Dans une sauteuse, mélanger le cidre, 10 ml de vinaigre de cidre (2 c. à thé) et l'échalote. Laisser réduire jusqu'à l'obtention d'un liquide sirupeux et brillant. Ajouter la crème et laisser réduire jusqu'à ce que la sauce soit légère-ment liée. Ajouter les tomates, le beurre, 10 ml de vinaigre de cidre (2 c. à thé), le sel, le poivre et réserver cette sauce au chaud.

Assaisonner les escalopes et les faire cuire dans une poêle chaude avec de l'huile d'arachide pendant 25 secondes d'un côté et 15 secondes de l'autre.

Napper les assiettes de sauce et y déposer les escalopes de saumon préalablement épongées.

NI CHAIR, NI POISSON

Tofu aigre-doux

150 g (5,5 oz) de tofu frais et ferme, égoutté
45 ml (3 c. à table) de sauce soja
45 ml (3 c. à table) d'eau
30 ml (2 c. à table) d'huile de sésame
1 gousse d'ail finement hachée
3 à 4 tranches minces, coupées en diagonale, de racine
de gingembre fraîche
60 ml (4 c. à table) de vinaigre de cidre de pommes
30 ml (2 c. à table) de miel
30 g (2 c. à table) de poudre d'amarante dissoute dans
80 ml (⅓ tasse) d'eau froide (pour épaissir)
2 carottes en julienne
1 bouquet de brocoli séparé en petits morceaux

Mélanger la sauce soja avec l'eau. Verser ce liquide dans un plat allant au four. Couper le tofu et bien l'assécher dans une serviette propre. Le mettre dans la marinade au soja et bien tourner de tous les côtés afin de bien l'enduire de sauce. Laisser mariner environ vingt minutes à la température de la pièce.

Égoutter le tofu, le transférer dans une assiette. Réserver dans la marinade.

Dans une casserole allant au four, faire chauffer 15 ml (1 c. à table) d'huile, ajouter le tofu et laisser cuire environ 5 à 8 minutes en le retournant de temps en temps. Garder chaud au four.

Dans une autre casserole, verser le reste de l'huile. Y faire sauter l'ail, le gingembre et combiner avec 45 ml (3 c. à table) de la marinade au soja réservée. Ajouter le vinaigre et le miel. Mijoter un peu. ◗◗

Retirer les gros morceaux de gingembre. Ajouter lentement la poudre d'amarante et l'eau en brassant vivement. Laisser mijoter environ une minute, jusqu'à épaississement. Verser sur le tofu.

Pendant ce temps, faire cuire les carottes et le brocoli à la vapeur de 3 à 5 minutes et les ajouter au tofu dans la petite sauce savoureuse. Servir avec des nouilles, du riz, du couscous...

SALADES

Salade de betteraves
et de pommes à l'huile de noix
4 portions

> 4 betteraves bouillies et taillées en julienne
> 4 pommes taillées en julienne
> 1 endive taillée en julienne
> 1 mélange de laitues telles que radicchio, cresson,
> romaine ou Boston
> 60 ml (¼ tasse) de noix

Faire cuire les betteraves. Les tailler. Tailler les pommes et les endives. Mélanger les laitues et y déposer betteraves, pommes et endives. Ajouter la vinaigrette, garnir de noix hachées.

Vinaigrette

> 30 ml (2 c. à table) de vinaigre de cidre
> 60 ml (4 c. à table) d'huile de noix
> 15 ml (1 c. à table) de moutarde de Dijon
> Sel et poivre au goût

Bien mélanger le tout.

Salade de chou typique de la cabane à sucre
8 portions

> 550 ml (2 ¼ tasses) de chou haché
> 25 ml (⅛ tasse) de carotte râpée
> 25 ml (⅛ tasse) d'oignon en dés
> 80 ml (⅓ tasse) d'huile
> 80 ml (⅓ tasse) de vinaigre de cidre de pommes
> 5 ml (1 c. à thé) de sel
> 5 ml (1 c. à thé) de poivre
> 5 ml (1 c. à thé) de sucre granulé
> 10 ml (2 c. à thé) de persil haché

Couper les légumes et les mettre dans un bol. Ajouter le persil. Mélanger ensemble l'huile, le vinaigre, le sel, le poivre et le sucre. Verser ce mélange sur les légumes. Servir.

Salade de lentilles

> 3 tasses de lentilles cuites ou germées
> 125 ml (½ tasse) de persil frais émincé
> 1 branche de céleri haché fin
> 125 ml (½ tasse) de poivron rouge coupé en dés
> ½ oignon rouge émincé

Mettre tous les ingrédients dans un bol et bien mélanger.

Vinaigrette

> 1 gousse d'ail finement hachée
> 30 ml (2 c. à table) de vinaigre de cidre de pommes
> 30 ml (2 c. à table) d'huile de tournesol
> Sel et poivre au goût

Mélanger tous les ingrédients dans un pot et brasser vivement, puis en arroser généreusement le mélange de lentilles.

Salade d'endives et de pommes

4 portions

> *2 endives*
> *1 pomme*
> *50 g (½ tasse) de fromage doux en dés*
> *25 g (¼ tasse) de noix de Grenoble*
> *Jus d'un citron*

Couper les endives en morceaux et la pomme en dés.
Ajouter le fromage et les noix. Arroser de jus de citron.
Bien mélanger. Ajouter la vinaigrette, bien mélanger
et servir. (On peut ajouter une poignée de cresson,
quelques feuilles de laitue ou des dés de jambon.)

Vinaigrette

> *45 ml (3 c. à table) d'huile*
> *15 ml (1 c. à table) de vinaigre de cidre*
> *2 ml (½ c. à thé) de moutarde de Dijon*
> *1 gousse d'ail écrasée*
> *Sel et poivre au goût*

Bien mélanger les ingrédients.

Salade d'épinards, vinaigrette à l'érable

6 portions

> 2 paquets de 285 g (10 oz) d'épinards
> 2 endives
> 1 pomme
> 45 ml (3 c. à table) de raisins secs
> 30 ml (2 c. à table) de jus de citron
> 1 ou 2 clémentines
> 1 oignon rouge coupé en rondelles
> 30 g (¼ tasse) de noix de cajou entières
> ½ poivron jaune ou rouge coupé en morceaux

Laver, essorer et équeuter les épinards ; enlever les grosses côtes centrales. Effeuiller les endives et les réserver avec les épinards. Couper la pomme en deux, enlever le cœur et la couper en quartiers.

Mélanger les morceaux de pommes, les raisins secs et le jus de citron. Ajouter les clémentines pelées et divisées en sections, les épinards, les endives, les rondelles d'oignon, le poivron et les noix de cajou. Arroser de vinaigrette, mélanger et servir.

Vinaigrette

> 20 ml (4 . à thé) de vinaigre de cidre de pommes
> 30 ml (2 c. à table) de sirop d'érable
> 2 ml (½ c. à thé) de moutarde de Dijon
> 45 ml (3 c. à table) d'huile
> Sel et poivre au goût

Mélanger le sel, le poivre et la moutarde. Ajouter le vinaigre et bien mélanger pour dissoudre le sel. Incorporer l'huile et le sirop d'érable. Garder au réfrigérateur jusqu'au moment de l'utiliser.

Salade d'épinards et de pommes
8 portions

> 1 paquet de 285 g (10 oz) d'épinards
> 250 ml (1 tasse) de pommes en quartiers
> 125 ml (½ tasse) d'oignons rouges
> 1 endive
> Jus d'un citron
> 125 ml (½ tasse) d'oranges en quartiers
> 125 ml (½ tasse) de raisins secs

Enlever le pied des épinards et les laver à l'eau froide. Les épinards doivent être lavés plusieurs fois pour bien enlever la terre qu'ils contiennent. Assécher les épinards à l'essoreuse ou sur un linge. Enlever les feuilles de la base et couper l'endive en deux. La passer au jus de citron.

Déposer le tout dans un grand bol à salade. Ajouter les pommes, les oranges, les oignons et les raisins secs.

Ajouter la vinaigrette, mais juste avant de la servir. Les épinards ne tolèrent pas une trop longue attente.

Vinaigrette

> 5 ml (1 c. à thé) de moutarde de Dijon
> 60 ml (¼ tasse) de vinaigre de cidre de pommes
> 125 ml (½ tasse) d'huile
> 60 ml (¼ tasse) de sirop d'érable

Fouettez tous les ingrédients.

Salade de pâtes et de poulet
Repas complet

500 ml (2 tasses) de poulet cuit, en lanières
1 poivron rouge épépiné et coupé
60 ml (¼ tasse) d'oignons verts hachés
2 branches de céleri
125 ml (½ tasse) d'olives noires tranchées
10 tomates cerise
500 ml (2 tasses) de pâtes au goût, cuites et égouttées
Sel et poivre au goût

Vinaigrette

80 ml (⅓ tasse) de mayonnaise
125 ml (½ tasse) de yogourt nature
15 ml (1 c. à table) de moutarde de Dijon
15 ml (1 c. à table) de vinaigre de cidre de pommes
1 gousse d'ail tranchée et écrasée
Un peu de ciboulette et de persil

Mélanger tous les ingrédients avec les pâtes et le poulet,
sauf le persil et la ciboulette que vous saupoudrez
sur la salade. Servir sur un nid de laitue.

Salade de pois chiches

250 ml (1 tasse) de pois chiches
1 ml (¼ c. à thé) de piment de chili haché finement
2 oignons verts hachés
1 douz. de brindilles de ciboulette fraîchement hachées
1 douz. de tomates cerise coupées en moitiés
½ poivron vert coupé en dés
½ poivron rouge coupé en dés
½ poivron jaune coupé en dés
1 gousse d'ail écrasée et finement hachée
75 ml (5 c. à table) de vinaigre de cidre de pommes
15 ml (1 c. à table) de moutarde de Dijon
105 ml (7 c. à table) d'huile d'olive
Sel et poivre au goût

Bien mélanger tous les ingrédients et placer cette salade au réfrigérateur pendant au moins une bonne heure avant de la servir.

Salade en gelée de Jacqueline Leduc
10 portions

> 2 enveloppes de gélatine
> 125 ml (½ tasse) d'eau froide
> 500 ml (2 tasses) d'eau bouillante
> 125 ml (½ tasse) de sucre
> 5 ml (1 c. à thé) de sel
> 90 ml (6 c. à table) de vinaigre de cidre de pommes
> 30 ml (2 c. à table) de jus de citron
> 375 ml (1½ tasse) de chou râpé
> 250 ml (1 tasse) de céleri haché
> 125 ml (½ tasse) de carottes grossièrement hachées
> ½ poivron vert ou rouge, épépiné et haché

Amollir la gélatine dans l'eau froide 5 minutes. Verser l'eau bouillante et brasser pour dissoudre. Y ajouter le sucre et le sel. Refroidir à la température de la pièce. Ajouter le vinaigre de cidre et le jus de citron.

Laisser prendre au froid et y ajouter les légumes préparés. Verser dans un moule de 1,25 L (5 tasses) et remettre au froid. Démouler sur une assiette de service. (Cette recette peut se diviser en deux.)

VINAIGRES

Vinaigre aux fines herbes

Choisissez vos fines herbes favorites, mettez-les dans le vinaigre de cidre pour les faire macérer de deux à six semaines et embouteillez ce vinaigre maison qui excitera votre appétit et fera plaisir à votre palais.

75 ml (5 c. à table) de feuilles d'estragon
30 ml (2 c. à table) de ciboulette
30 ml (2 c. à table) de menthe
1 gousse d'ail
7 clous de girofle
1,25 L (5 tasses) de vinaigre de cidre de pommes

Laisser macérer pendant deux semaines. Avant de l'embouteiller, et contrairement à d'autres vinaigres aux herbes que l'on choisit de ne pas filtrer, celui-ci gagne à être passé au travers d'un linge pour bien l'éclaircir.

Ne vous en privez surtout pas dans la préparation de vos repas. Il est tout simplement délicieux.
Si le cœur vous en dit, vous pourrez adapter cette recette pour toutes sortes d'herbes et de condiments.

Vinaigre de cidre aux oignons crus (ou à l'ail)

2 oignons crus, coupés en morceaux
500 ml (2 tasses) de vinaigre de cidre

Faire macérer les oignons dans le vinaigre de cidre
de pommes pendant environ trois semaines. À mesure
qu'on utilise ce vinaigre, on peut retirer quelques
morceaux d'oignons à la fois, pour... les manger !

Pour le vinaigre de cidre de pommes à l'ail, remplacer
les oignons par 4 gousses d'ail pelées, entières.

Ces condiments apportent au vinaigre un goût exquis
et agissent très efficacement sur l'équilibre du cholestérol.

Je dirais que tout le monde peut confectionner son vinaigre
aromatisé maison, pour tous les plats et pour toutes les occasions. Il suffit de se laisser aller à sa créativité et de tenter des
expériences. Il y a tant de possibilités !

Un de mes petits secrets... Souvent, pour certains vinaigres
aux herbes, notamment au romarin, je ne filtre pas mon vinaigre.
Je retire quelques herbes que je coupe en petits morceaux et je
les laisse tomber dans ma salade. En plus d'être esthétiques, ils
me comblent en même temps de leurs bienfaits.

VINAIGRETTES

Vinaigrette aigre-douce

30 ml (2 c. à table) d'huile d'olive de première pression
30 ml (2 c. à table) de vinaigre de cidre de pommes
5 ml (1 c. à thé) de miel
Sel et poivre au goût

Bien mélanger tous les ingrédients et réfrigérer.

Vinaigrette à l'ail

250 ml (1 tasse) d'huile de tournesol de première pression
80 ml (⅓ tasse) de vinaigre de cidre de pommes
1 gousse d'ail hachée finement
5 ml (1 c. à thé) de moutarde sèche
10 ml (2 c. à thé) de sucre brun, ou non raffiné
2 ml (½ c. à thé) de sel de mer
Poivre frais moulu au goût

Bien mélanger tous les ingrédients et réfrigérer.

Vinaigrette à l'estragon

300 ml (1¼ tasse) de mayonnaise
60 ml (¼ tasse) de vinaigre de cidre de pommes
15 ml (1 c. à table) de moutarde de Dijon
3 oignons verts finement hachés
5 ml (1 c. à thé) de persil
5 ml (1 c. à thé) d'estragon moulu
2 ml (½ c. à thé) de cerfeuil haché ou moulu
1 ml (¼ c. à thé) de thym
Sel et poivre au goût

Bien mélanger tous les ingrédients et réfrigérer.

Vinaigrette à l'oignon vert

3 oignons verts finement hachés
1 gousse d'ail écrasée et finement hachée
15 ml (1 c. à table) de persil frais
1 pincée de romarin
90 ml (6 c. à table) de vinaigre de cidre de pommes
150 ml (10 c. à table) d'huile d'olive
de première pression à froid
Sel et poivre au goût

Bien mélanger tous les ingrédients et réfrigérer.

Vinaigrette au céleri

250 ml (1 tasse) d'huile d'olive de première pression
60 ml (¼ de tasse) de vinaigre de cidre de pommes
1 gousse d'ail hachée
45 ml (3 c. à table) de feuilles de céleri hachées
5 ml (1 c. à thé) de graines de fenouil
5 ml (1 c. à thé) de graines de céleri
5 ml (1 c. à thé) de sel
Poivre au goût

Bien mélanger tous les ingrédients et réfrigérer.

Vinaigrette aux fines herbes

250 ml (1 tasse) d'huile d'olive de première pression
60 ml (¼ de tasse) de vinaigre de cidre de pommes
5 ml (1 c. à thé) de pâte de tomates
2 ml (½ c. à thé) d'origan
2 ml (½ c. à thé) d'estragon
2 ml (½ c. à thé) de basilic
15 ml (1 c. à table) de ciboulette finement hachée
4 feuilles de menthe fraîche coupées au ciseau
Sel et poivre au goût

Bien mélanger tous les ingrédients et réfrigérer.

Vinaigrette dijonnaise

90 ml (6 c. à table) d'huile d'olive de première pression
75 ml (5 c. à table) de vinaigre de cidre de pommes
5 ml (1 c. à thé) de moutarde de Dijon
1 pincée de marjolaine
Sel et poivre au goût

Bien mélanger tous les ingrédients et réfrigérer.

Vinaigrette française

125 ml (½ tasse) d'huile d'olive de première pression
125 ml (½ tasse) de vinaigre de cidre de pommes
5 ml (1 c. à thé) de sel
2 ml (½ c. à thé) de moutarde sèche
2 ml (½ c. à thé) de paprika

Bien mélanger tous les ingrédients et réfrigérer.

Vinaigrette italienne

250 ml (1 tasse) d'huile de tournesol de première pression
125 ml (½ tasse) de vinaigre de cidre de pommes
1 pincée de sel
1 pincée de sucre
2 ml (½ c. à thé) de feuilles d'origan
2 ml (½ c. à thé) de moutarde sèche
2 ml (½ c. à thé) de sel d'oignon
2 ml (½ c. à thé) de paprika
1 pincée de thym
1 gousse d'ail finement hachée

Bien mélanger tous les ingrédients et réfrigérer.

Vinaigrette piquante

30 ml (2 c. à table) de vinaigre de cidre de pommes
5 ml (1 c. à thé) de moutarde sèche
15 ml (1 c. à table) de pâte de tomates
2 ml (½ c. à thé) de graines de céleri
Sel et poivre au goût
1 pincée de poivre de Cayenne
0,5 ml (⅛ c. à thé) de sauce Tabasco

Tout en brassant, rajouter 250 ml (1 tasse) d'huile d'olive de première pression ainsi qu'une gousse d'ail finement hachée. Bien mélanger tous les ingrédients et réfrigérer.

Vinaigrette toute simple

30 ml (2 c. à table) de vinaigre de cidre de pommes
90 ml (6 c. à table) d'huile d'olive de première pression
Sel de mer et poivre au goût
Fines herbes au goût

Bien mélanger tous les ingrédients et réfrigérer.

MARINADES

Concombres sucrés

2 kg (2 pintes) de concombres tranchés
2 oignons tranchés
60 ml (¼ tasse) de gros sel

Laisser tremper 3 heures avec des glaçons, puis égoutter.

Vinaigrette

375 ml (1½ tasse) de vinaigre de cidre de pommes
500 ml (2 tasses) de sucre non raffiné
5 ml (1 c. à thé) de graines de céleri
5 ml (1 c. à thé) de curcuma
10 ml (2 c. à thé) de cannelle moulue

Faire bouillir le tout et ajouter le mélange d'oignons
et de concombres. Laisser mijoter 15 minutes tout
en brassant de temps en temps. Mettre dans des pots
stérilisés et bien sceller.

Ketchup vert aux pommes

12 L (48 tasses) de tomates vertes
500 ml (2 tasses) de céleri haché
2 L (8 tasses) de vinaigre de cidre de pommes
2,25 L (9 tasses) d'oignons hachés
2 L (8 tasses) de sucre
4 L (16 tasses) de pommes
120 ml (½ tasse) d'épices mélangées
2 ml (½ c. à thé) de poivre
60 ml (¼ tasse) de gros sel (facultatif)

Préparer les tomates la veille : laver, trancher et déposer
par rangs en alternant avec un peu de sel. ●▸

Le lendemain, vider l'eau et mesurer le vinaigre de cidre
de pommes et le sucre. Ajouter tous les ingrédients
et faire cuire à feu lent.

Marinade à viandes

Toutes les marinades à viandes ont pour but d'imprégner les
viandes afin de les rendre plus savoureuses. De plus, l'acide acétique contenu dans le vinaigre attendrit les fibres de la viande.
Attention cependant de ne pas utiliser de sel dans les marinades,
car le sel fait sortir le jus de la viande.

> 125 ml (½ tasse) d'huile d'olive de première pression
> 125 ml (½ tasse) de vinaigre de cidre de pommes
> 1 gousse d'ail
> 5 ml (1 c. à thé) de poivre frais moulu
> 5 ml (1 c. à thé) de sauce Worcestershire
> 5 ml (1 c. à thé) de paprika

Mélanger tous les ingrédients et y faire mariner
la viande pendant plusieurs heures, même toute
une nuit, c'est l'idéal.

Marinade aux framboises pour Suprême de poulet de Pierre St-Pierre

> 10 grains de poivre
> 1,5 L (6 tasses) d'huile végétale
> 750 ml (3 tasses) de vinaigre de cidre de framboises
> Thym au goût
> 2 oignons verts
> 375 ml (1½ tasse) de sirop d'érable
> 2 feuilles de laurier

Mélanger tous les ingrédients. Amener à ébullition.
Laisser refroidir. Verser sur la viande pour la faire mariner.

Salsa aux tomates et aux piments

2 L (8 tasses) de tomates rouges pelées et hachées
4 piments chili doux épépinés et hachés
500 ml (2 tasses) d'oignons hachés
500 ml (2 tasses) de vinaigre de cidre de pommes
250 ml (1 tasse) de poivron rouge épépiné et haché
125 ml (½ tasse) de piment Jalapeño épépiné et haché
(attention : très fort)
4 gousses d'ail hachées finement
156 ml (5½ oz) de pâte de tomates
60 ml (¼ tasse) de sucre non raffiné
10 ml (2 c. à thé) de paprika
15 ml (1 c. à table) de sel
5 ml (1 c. à thé) d'origan
60 ml (¼ tasse) de coriandre fraîche, hachée

Mijoter le tout, sauf la coriandre, pendant une heure, en brassant de temps en temps. Les cinq dernières minutes, ajouter la coriandre. Bien stériliser vos pots 20 minutes dans l'eau bouillante. Y mettre le mélange et sceller.

(Servir avec fajitas, tortillas, tacos.)

DESSERTS

Gâteau à l'ancienne au vinaigre de cidre de pommes d'Angèle Leblanc

125 ml (½ tasse) de matière grasse (beurre, margarine ou graisse végétale)
250 ml (1 tasse) de cassonade ou sucre d'érable
250 ml (1 tasse) de mélasse
10 ml (2 c. à thé) de bicarbonate de soude
750 ml (3 tasses) de farine à pâtisserie
250 ml (1 tasse) de lait
30 ml (2 c. à table) de vinaigre de cidre de pommes
2 ml (½ c. à thé) de muscade
2 ml (½ c. à thé) de gingembre
1 ml (¼ c. à thé) de sel
250 ml (1 tasse) de raisins secs
250 ml (1 tasse) de pommes
5 ml (1 c. à thé) de vanille
Eau salée et 15 ml (1 c. à table) de vinaigre de cidre pour les pommes

Battre la matière grasse en crème. Ajouter la cassonade et l'œuf bien battu. Dans la mélasse, incorporer le bicarbonate de soude, mélanger et ajouter à la préparation. Ajouter 30 ml (2 c. à table) de vinaigre de cidre dans le lait. Tamiser 690 ml (2¾ tasses) de farine avec le sel, le gingembre et la muscade. Ajouter la farine à la préparation en alternant avec le lait.

Peler et tremper les pommes trois à cinq minutes dans l'eau salée. Enlever le cœur et les râper grossièrement. Arroser les pommes râpées avec 15 ml (1 c. à table) de vinaigre de cidre de pommes. Enfariner les raisins secs avec 60 ml (¼ tasse) de farine. Incorporer raisins et pommes râpées à la préparation. ➡

Verser la pâte dans un grand moule (ou deux moyens) graissé et enfariné. Cuire à 180 °C (350 °F) pendant 50 à 60 minutes pour un moule tubulaire, ou 45 à 50 minutes pour deux moules ronds. Servir ce gâteau avec de la mousse aux pommes.

Mousse aux pommes d'Angèle Leblanc

2 blancs d'œufs
1 pincée de sel
375 ml (1½ tasse) de pommes râpées
15 ml (3 c. à thé) de vinaigre de cidre de pommes
300 ml (1¼ tasse) de sucre

Battre les blancs d'œufs bien fermes avec le sel. Peler les pommes, les tremper dans l'eau salée 5 minutes. Retirer, râper les pommes et arroser de vinaigre de cidre. Incorporer les pommes aux blancs d'œufs fouettés. Mettre dans un plat couvert au réfrigérateur. (Il est préférable de faire cette mousse à l'avance, sans toutefois dépasser 2 à 3 heures.)

Pâte à tarte de Frédérick

1 L (4 tasses) de farine
5 ml (1 c. à thé) de vinaigre de cidre
250 ml (1 tasse) d'eau ou de lait
1 œuf
500 g (1 lb) de graisse végétale
5 ml (1 c. à thé) de sel

Défaire la graisse végétale dans la farine et le sel. Ajouter le liquide, l'œuf et le vinaigre. Bien mélanger. Enfariner le comptoir et y rouler la pâte.

CHAPITRE XVI

Sondage maison

Depuis longtemps, ma curiosité était piquée. J'avais vraiment envie de savoir quelles étaient les pathologies le plus souvent rencontrées chez les consommateurs de vinaigre de cidre de pommes artisanal ! J'ai donc procédé à un petit sondage maison auprès de ces personnes et voici les résultats de ma curiosité.

Viennent au premier rang, ex æquo, le taux de cholestérol élevé, qui, dans tous les cas, avait baissé de façon remarquable ; l'arthrite ; une tension artérielle trop haute, et les douleurs articulaires.

Au second rang, il était question de la constipation ; au troisième, des problèmes de la peau. La digestion déficiente suivait avec, à la toute fin, le surplus de poids.

Ces résultats m'ont beaucoup surprise, car j'avais toujours cru que la digestion représentait la pathologie le plus souvent rencontrée.

Quoi qu'il en soit, de l'aveu de toutes les personnes interrogées, le vinaigre de cidre de pommes avait prouvé ses merveilleux bienfaits, et justifié tout l'intérêt qu'il suscite dans l'alimentation de cette fin de siècle.

CHAPITRE XVII

Témoignages

J'emploie le vinaigre de cidre de pommes depuis trois ans ; au début, pas régulièrement, mais quand j'ai constaté le regain d'énergie et la forme, je me suis remise à la marche. J'ai donc une meilleure qualité de vie en buvant mon litre d'eau vinaigrée tous les jours. J'ai 65 ans, je ne voudrais plus me passer de mon eau vinaigrée, car je ne bois pas d'eau du robinet comme telle. Je l'emploie comme astringent pour la peau, comme rince pour mes cheveux, même dans mon bain. C'est merveilleux ! À l'occasion, j'en ajoute à mes salades. J'espère encore le découvrir à d'autres fins et usages. Une adepte pour la vie. Merci.

Lucie Barrette

Moi, j'ai commencé à prendre du vinaigre de cidre quand on a découvert que mon taux de cholestérol était très élevé. J'ai suivi une diète quelques mois, mais maintenant je peux me permettre de manger beaucoup de choses qui m'étaient interdites et je me sens très bien. Avant de prendre le vinaigre, quand mon taux était trop élevé, j'avais des maux de tête très violents et des maux de cœur. J'en prends une cuillerée à soupe par jour et si parfois je fais de l'abus, j'en prends deux.

Claudette Allaire

Pour donner mon témoignage sur le vinaigre de cidre de pommes, voilà quatre ans, j'avais des infections de la vessie aux trois ou quatre mois. Une amie, qui avait un magasin d'aliments naturels, me conseilla de prendre du vinaigre de cidre de pommes. Elle avait à son magasin du vinaigre qui provenait du verger Pierre Gingras. J'en prenais deux à trois cuillerées à thé par jour dans un verre d'eau, et cela a duré trois ans et ma vessie ne m'a plus fait défaut. En 97, le résultat de ma prise de sang me causa une grande surprise. Le taux de cholestérol était élevé à 7+. Alors mon médecin me dit: petit régime et médicaments. J'ai pris les médicaments pendant cinq à six mois et j'ai discuté plutôt avec mon amie qui me dit d'essayer du vinaigre de pommes. Alors j'ai pris du vinaigre de cidre de pommes avec de l'eau et en octobre 98, ma prise de sang était passée à 5+ et je continue de faire confiance au vinaigre de cidre de pommes qui me fait un si grand bien.

Georgette Labelle,
Saint-Jean-sur-Richelieu

Donc, ça m'a libérée du surplus de la bile au foie, je n'ai plus de maux de tête et d'étourdissements. Ça a facilité ma digestion. Ça a causé plus de résistance pour supporter la vie stressante d'aujourd'hui. C'est une nourriture pour les nerfs. En application sur la peau, ça libère l'inflammation causée par l'entorse, parce que c'est une nourriture pour les muscles et les os. Je l'utilise pour rincer mes cheveux. Je l'utilise pour une vinaigrette, la cuisson des fèves. Après une brûlure, ça fait un très grand soulagement. Ça évite les cloches.

Monique Viens

Mon problème était le cholestérol ainsi que mon poids. Depuis un an, je prends à tous les jours du vinaigre de cidre de pommes. Je dois admettre que les résultats ont été très bons. Mon cholestérol est normal et je ne prends plus mes prescriptions. Le docteur m'a dit que le tout était redevenu normal. J'ai aussi perdu 35 livres. Mon poids est aussi normal pour mon âge, 60 ans.

Édouard Power

Moi j'étais toujours dérangée par des infections de vessie. Il y a trois ans, j'ai commencé à prendre du vinaigre et après un certain temps je me suis aperçue que je n'étais plus dérangée, même si je prenais un peu de froid aux pieds, car je faisais très attention à cela. J'avais un foie lent. Aujourd'hui, cela m'a aidée grandement à un mieux-être. Ma fille a un chien et quand il se gratte les pattes, elle les trempe dans moitié eau et vinaigre. J'avais des plantes qui avaient des petites mousses blanches ; alors j'ai fait une solution moitié vinaigre et eau, que j'ai vaporisée sur les feuilles, et en deux fois cela a disparu.

Denise Boulet

J'ai eu trois pontages en 81. J'avais des problèmes de cholestérol, de poids, de tension, ainsi que la goutte. Je prends des médicaments depuis neuf ans pour le cœur et pour la goutte. Je prends du vinaigre de cidre depuis deux ans. Donc j'ai perdu quinze livres. Le vinaigre a contrôlé la goutte. Ma tension est normale. Je me sens bien. Je prends une once par jour le matin. Mon plus grand bien fut de soigner mon ulcère d'estomac qui m'achalait depuis l'âge de 20 ans. J'en ai 55.

Joseph

J'ai 66 ans. Je souffre depuis au moins 20 ans d'arthrite, mais surtout aux mains. Mes jointures sont déformées et enflées, très douloureuses. Manque de souplesse avec beaucoup d'élancements. Depuis quelque temps, je prends des médicaments pour la douleur. Mais voilà, après avoir lu dans un livre un article sur les bienfaits du vinaigre de cidre de pommes, pur, non sucré et non pasteurisé, j'ai commencé à prendre depuis un mois 8 oz d'eau avec 2 c. à thé de vinaigre le matin et le soir. Mes douleurs ont disparu à 95 %, mes articulations ont désenflé, mes mains sont plus souples. J'ai arrêté depuis ce temps mes médicaments. J'ai également découvert un autre aspect bénéfique pour ma constipation. Depuis 89, après avoir subi l'opération du côlon, j'ai toujours eu beaucoup de problèmes de ce côté-là depuis toutes ces années.

Mais depuis que je prends une fois par jour 2 c. à thé de vinaigre de cidre dans de l'eau avec des graines de lin, je n'ai plus ce problème. Je me rends également compte qu'il est beaucoup plus facile de garder mon poids stable depuis que je prends du vinaigre de cidre. Je l'emploie également dans mes bonnes recettes dans ma cuisine.

Roselle Morand

Il me fait plaisir de vous raconter que le vinaigre de cidre m'a fait beaucoup de bien, c'est-à-dire le sommeil, le mal au talon, l'arthrite, la perte de poids, le rhumatisme et la digestion. Alors, je prends une cuillerée à soupe 3 fois par jour, et je trouve un très gros changement. Alors je le conseille à tous les amis.

Jeannine Lareau

Le vinaigre de cidre? Un vrai bienfait de la nature! Pour moi, il a été très bénéfique pour la guérison de l'épine de Lenoir. Après avoir consommé des anti-inflammatoires, j'étais rendue aux infiltrations. Je me suis mise à prendre une cuillerée à thé matin et soir de vinaigre de cidre. Après une semaine, j'ai vu une grande amélioration. Au bout de quinze jours, mes douleurs ont disparu complètement; il y a plus de deux ans de ça et je n'ai plus jamais ressenti de douleurs! J'avais beaucoup de maux de dos; aussi le vinaigre a atténué mes douleurs! Je suis une inconditionnelle du vinaigre de cidre. Les gens de mon entourage ont suivi mon exemple et ils sont tous très satisfaits. J'en apporte à ma parenté, à Montmagny. Bravo!

Élisabeth Bolduc
Longueuil

Pourquoi je prends du vinaigre de pommes artisanal? Eh! bien, je crois que ça fait près de cinq ans que j'en prends. Tout d'abord, c'était pour la digestion, car je sais que j'ai un système très lent. Je me réveillais, le matin, avec le hoquet et j'avais, au lever, le matin, comme des douleurs articulaires aux mains et aux chevilles, et avec le vinaigre ça s'est beaucoup amélioré. Comme de raison, c'est comme avec la médecine douce, il faut en prendre tous les jours pour bénéficier de tous les bienfaits. Je suis une personne en santé, mais je tiens à la garder. Si le vinaigre m'aide, pourquoi pas en prendre?

Denise Bélanger

Bibliographie

Yolande Chevrier, *Le vinaigre*, Les Éditions Quebecor, Montréal, 1999

Jean-François Couture, *Une grande découverte*, Éditions Enoch, 1982

J.C. Jarvis, m.d., *Arthritis and Folk Medicine*, Fawcett Crest Books, New York

Anne Lavédrine, *Les vertus du vinaigre*, Michel Lafon, Paris, 1997

Eric Nigelle, *Pouvoir merveilleux de LA POMME*, Éditions Andrillon

Annelies Schöneck, *La Pomme aux mille usages*, Terre Vivante, Paris, 1987

Table des matières